# O Diário de uma Princesa Desastrada

# O Diário de uma Princesa Desastrada

### por Maidy

ILUSTRADO POR RENATA DE SOUZA

Copyright © Maidy, 2022
Copyright © Editora Planeta do Brasil, 2022
Todos os direitos reservados.

Preparação: Fernanda França
Revisão: Leticia Teofilo e Matheus de Sá
Projeto gráfico e diagramação: Ale Santos
Ilustrações de miolo e capa: Renata de Souza

DADOS INTERNACIONAIS DE CATALOGAÇÃO NA PUBLICAÇÃO (CIP)
ANGÉLICA ILACQUA CRB-8/7057

Maidy
  O diário de uma princesa desastrada / Maidy. - São Paulo:
Planeta do Brasil, 2022.
  256 p.: il., color.

  ISBN: 978-65-5535-726-4

  1. Literatura infantojuvenil I. Título

22-1629                                                CDD 028.5

Índice para catálogo sistemático:
1. Literatura infantojuvenil

MISTO
Papel | Apoiando o manejo
florestal responsável
FSC® C005648

Ao escolher este livro, você está apoiando o manejo responsável das florestas do mundo e outras fontes controladas

2025
Todos os direitos desta edição reservados à
Editora Planeta do Brasil Ltda.
Rua Bela Cintra 986, 4º andar — Consolação
São Paulo — SP — 01415-002
www.planetadelivros.com.br
faleconosco@editoraplaneta.com.br

 (ROUBADORA DE DIÁRIOS)

## NOTA DA AUTORA

Olá, pessoas e fadas (e sereias, ogros, duendes, unicórnios e criaturas magicamente mágicas em geral), eu sou a <u>Maidy</u> e este é um diário que eu achei perdido no fundo do meu armário.

Deixa eu contar isso direito: um dia eu estava limpando meu guarda-roupa, onde encontrei algumas meias velhas, chocolates perdidos (que eu sempre escondo pra ninguém comer), até que, bem lá no fundo, eu vi uma coisa brilhando.

Quando puxei, era um **DIÁRIO MISTERIOSO** que eu nunca tinha visto na minha vida e que nem fui eu que escrevi (acho que me lembraria se eu fosse princesa de um reino).

Sei que a gente não deve ler o diário das pessoas, eu odiaria se lessem os meus, mas... Estava no meu guarda-roupa, então não resisti e li tudo em um dia só. E agora eu preciso que vocês leiam também.

Divirtam-se,

*Maidy*

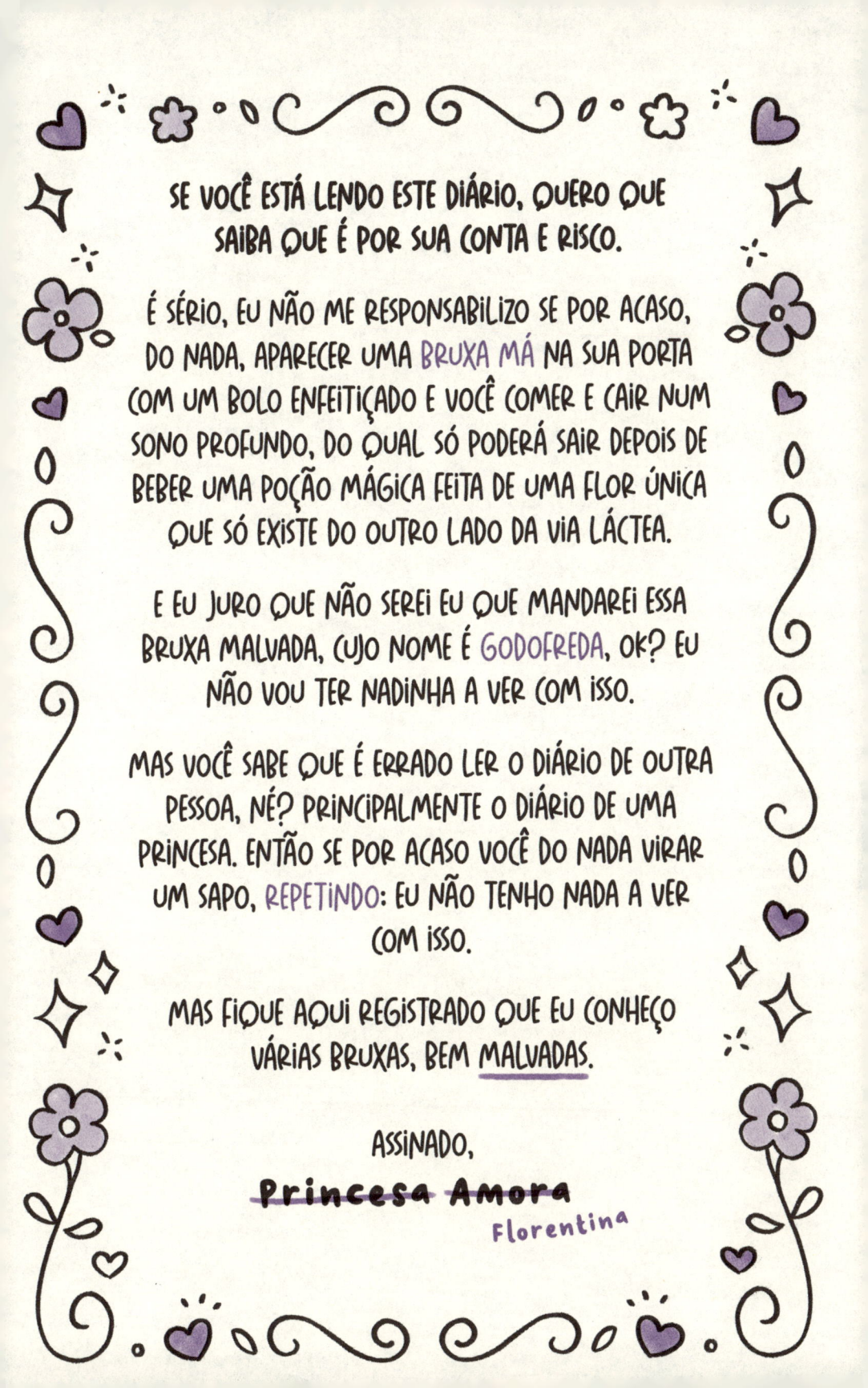

SE VOCÊ ESTÁ LENDO ESTE DIÁRIO, QUERO QUE SAIBA QUE É POR SUA CONTA E RISCO.

É SÉRIO, EU NÃO ME RESPONSABILIZO SE POR ACASO, DO NADA, APARECER UMA BRUXA MÁ NA SUA PORTA COM UM BOLO ENFEITIÇADO E VOCÊ COMER E CAIR NUM SONO PROFUNDO, DO QUAL SÓ PODERÁ SAIR DEPOIS DE BEBER UMA POÇÃO MÁGICA FEITA DE UMA FLOR ÚNICA QUE SÓ EXISTE DO OUTRO LADO DA VIA LÁCTEA.

E EU JURO QUE NÃO SEREI EU QUE MANDAREI ESSA BRUXA MALVADA, CUJO NOME É GODOFREDA, OK? EU NÃO VOU TER NADINHA A VER COM ISSO.

MAS VOCÊ SABE QUE É ERRADO LER O DIÁRIO DE OUTRA PESSOA, NÉ? PRINCIPALMENTE O DIÁRIO DE UMA PRINCESA. ENTÃO SE POR ACASO VOCÊ DO NADA VIRAR UM SAPO, REPETINDO: EU NÃO TENHO NADA A VER COM ISSO.

MAS FIQUE AQUI REGISTRADO QUE EU CONHEÇO VÁRIAS BRUXAS, BEM MALVADAS.

ASSINADO,

~~Princesa Amora~~

Florentina

## SEXTA, 29 DE ABRIL

Oi, Diário,

    Você ainda não é querido, então não vou te chamar de "querido diário". Até porque eu acabei de te conhecer e eu nem sei ainda se você é confiável. E caso você não seja confiável e revele os meus segredos para alguém, eu JURO que te jogo no vaso e dou descarga.

Ameaça feita, então deixa eu me apresentar: esta sou eu!

Eu moro em Florentia, um reino muito distante dos outros reinos e rodeado por altas montanhas cobertas de flores venenosas chamadas florentias, que é de onde vem o nome da nossa terra.

As florentias são flores azuis brilhantes que, durante a noite, brilham como se fossem milhares de estrelas que caíram do céu diretamente nas montanhas. É uma visão linda, mas apesar de sua beleza, elas são perigosas e podem ser letais, e é por isso que ninguém nunca entra em Florentia ou sai do reino.

As flores são tão perigosas que até o ar ao redor delas é venenoso e, por isso, nem os animais que voam conseguem atravessar essa barreira. Os que acabam chegando muito perto são vítimas fatais das florentias.

Para chegar até aqui, você precisaria andar por horas no meio dessas flores perigosas, cujo antídoto ninguém conhece, enquanto sobe centenas de montanhas, ou seja: impossível. E é por isso que você nunca ouviu falar de Florentia, nem de mim, até agora.

Nós aqui conhecemos as histórias dos outros reinos, como, por exemplo, a fofoca da semana passada de que uma garota perdeu um sapatinho de cristal no baile de um príncipe e ele estava aflito, procurando por ela em todos os cantos.

Inclusive, já quero saber como essa fofoca vai terminar.

## LEMBRETE: FICAR DE OLHO NO FOFOCAS DA TORRE DE HOJE À NOITE.

E o nosso segredo é que o Vento traz para nós de Florentia todas essas fofocas. Ele é o único que pode entrar e sair do reino sem ser pego pelo veneno das flores, então ele nos traz várias histórias e notícias.

Só que os outros reinos não conhecem as histórias daqui, então eu duvido muito que você me conheça. Na verdade, nem você nem ninguém do reino me conhece, eu sou um mistério, mas isso é história para outro dia.

Não sei onde você morava antes, mas você vai amar Florentia, porque aqui tem muitas coisas mágicas acontecendo o tempo todo, criaturas incríveis que só existem por aqui e o principal de tudo: tem muitas comidas gostosas!

Sério, você precisa provar a torta de maçã-alada caramelizada que a minha mãe faz, é a minha comida favorita de todas!

TORTA SUPERGOSTOSA QUE SÓ FADAS CONSEGUEM FAZER!

E um fato sobre mim que acho importante contar é que se tem uma coisa ruim para acontecer, com certeza ela vai acontecer comigo, porque eu sou um poço de derrotas. Sabe quando você acorda em um belo dia e logo no primeiro segundo você já percebe que tudo vai dar errado? É assim comigo. Todos os dias.

Basta eu sair da cama que as derrotas já começam a acontecer.

E outro fato: eu juro que sou legal.

Tá bom, exceto quando revelam meus segredos e quando comem TODOS os doces da minha festa de aniversário e não deixam nenhum para mim. Sim, hoje foi meu aniversário, parabéns para mim, mas comeram todos os docinhos e não deixaram nenhum.

Especificamente foi minha irmã quem comeu. Todos. Meus. Docinhos. E ela era a única convidada ainda por cima.

UMA REPRESENTAÇÃO REAL DE QUANDO EU DESCOBRI QUE NÃO HAVIA MAIS DOCINHOS DA FESTA

Eu chorei muito, mas depois parei...

Quem salvou o dia foi a Senhora Dulce, a confeiteira mais habilidosa que este castelo já viu, e com a minha mãe, a fada mais poderosa de toda Florentia.

Juntas elas fizeram mais docinhos aparecerem em cima da mesa em um passe de mágica!

E mais um fato sobre mim: eu amo ter uma mãe fada. É tipo ter uma fada-madrinha, só que ela é a minha mãe mesmo. O que é melhor do que ter só uma fada-madrinha, porque ela fica na minha casa o tempo todo.

A única parte ruim é que ela é uma fada-madrinha que pode me colocar de castigo.

Outra coisa que me faz amar ter uma mãe-fada é que se eu não tivesse eu não poderia comer a torta de maçã-alada caramelizada, porque essa é uma receita que só as fadas conseguem fazer.

A última vez que eu tentei fazer sozinha virou uma grande de uma gororoba. E quando eu digo gororoba, eu quero dizer que virou isto:

EU NEM SEI DE ONDE SURGIRAM ESSAS COISAS

Eu acho que nem um ogro comeria essa comida.

E falando em *ogros*, esta é a minha irmã mais nova:

Brincadeira, ela é legal. Mas só quando ela quer. E ela raramente quer.

Um dia ela realmente virou uma ogrinha, e esse foi um dos dias em que eu mais ri na minha vida todinha! Isso aconteceu porque ela foi tentar criar um vestido novo com magia, só que a Olivia ainda é pequena e sempre erra os feitiços (apesar de ser muito poderosa).

Então nesse dia, em vez de falar "Sim Salabim, faça um vestido novo pra mim", ela sem querer disse "Sim Saladim, faça um vestido ogro pra mim" e isso aconteceu. A minha mãe teve que dar para ela várias poções mágicas para ela se transformar de volta.

Ela, na verdade, é assim:

Ela tem oito anos, quase nove, mas não se deixe enganar por essa carinha fofa e angelical. Ela não tem nada de angelical. Na verdade, ela é bem malvada. E pra piorar: tem poderes, então imagine só!

Um dia, por exemplo, eu acordei transformada em uma galinha e tive que comer grãozinhos de milho o dia todo e, olha, não recomendo.

E qual foi minha vingança? *insira aqui uma grande risada* NENHUMA. Porque minha irmã jogou a culpa em mim, como se eu fosse virar uma galinha de propósito, e eu que acabei ficando de castigo.

Ser irmã mais velha não é fácil.

Mas a verdade é que mesmo se eu quisesse fazer uma grande vingança à altura, eu não poderia, porque não tenho poderes.

E, claro, se eu tivesse poderes todas as minhas vinganças seriam mais fáceis e eu nem ia chorar por causa dos docinhos da minha festa, porque eu mesma faria os meus próprios doces.

Não me importo de não ter poderes, várias outras pessoas pelo reino também não têm, mas admito que ia amar criar doces em um passe de mágica.

Mas voltando a falar sobre o meu aniversário, apesar de quase ficar sem docinhos, ganhei alguns presentes bem legais:

E claro, *você*, Diário. E espero que você não tenha sido um presente de uma bruxa má, só para descobrir todos os meus segredos e aí num belo dia todos eles estarão passando DE TODOS OS TAMANHOS no *Fofocas da Torre*.

Se isso acontecer, você já sabe: vai direto pra descarga!

## TERÇA, 10 DE MAIO

Oi, Diário,

Ninguém gosta de mim na escola. E juro que isso não é só drama, porque quando eu digo ninguém, é ninguém *mesmo*, nem a professora. Ontem eu faltei, então, hoje eu fui contar para ela o motivo e quando eu terminei ela disse:

**SIM, ELA É MESMO UMA BRUXA**

A sorte dela é que eu não tenho poderes, senão eu a teria transformado em um grande sapo-gosmento naquele exato momento.

Mas aqui em Florentia há bruxas boas e não é só porque uma pessoa é bruxa que significa que ela seja má. Só que minha professora é. BRUXA E MÁ. E MUITO CHATA.

Acredita que na semana passada ela deu nota 10 para o trabalho de todo mundo, e eu ganhei nota 3 só porque eu usei caneta feita por *fadas* em vez de caneta feita por *duendes* como ela tinha desejado?

E eu lá sou o gênio da lâmpada para realizar desejo?

O que eu posso fazer se as canetas das fadas têm as cores mais bonitas e cheirinho de tutti frutti? Só uma pessoa muito amargurada como ela poderia achar isso ruim.

Mas calma, Diário, que vai piorar, porque mesmo a professora falando baixinho, para ninguém descobrir a bruxa malvada que ela é, meu arqui-inimigo ouviu. E espalhou para a escola toda que ninguém gostava de mim, nem a professora.

Não queria desenhá-lo, mas este é o meu arqui-inimigo: o *Scorpio*.

Eu não sei quando a nossa briga vai acabar, mas eu sei muito bem quando começou: um dia, no torneio da escola, fiquei tão feliz que o time para o qual eu estava torcendo ganhou, que eu comemorei demais e meu sorvete bateu direto na cara do Scorpio, que estava do meu lado.

EU SEMPRE DOU RISADA QUANDO ME LEMBRO DISSO:

Claro que não foi por mal, pois jamais desperdiçaria meu sorvete de chocolate na cara maligna do Scorpio. Talvez um sorvete de banana, quem sabe, mas você me entendeu: não foi de propósito.

Porém, na cabeça dele era certo que eu tinha feito por mal, só para ele ser humilhado com um sorvetão na cara parecendo um unicórnio.

Desde então ele tenta me superar em tudo: quem tira as maiores notas (eu), quem é mais popular (ele, com certeza) e quem tem as melhores ideias primeiro (sempre empatamos).

Só que o Scorpio nunca sabe jogar justo e ele sempre tenta sabotar as minhas ideias para eu tirar notas menores do que as dele.

Sobre a minha escola, eu estudo na Escola Preparatória para Pessoas Não Mágicas, nome longo e chato, né?

Aqui, como você pode imaginar, é uma escola só para pessoas sem poderes, então você já deve conhecer todas as chatices que a gente estuda: expressões numéricas, geometria, porcentagens, encontrar o X da questão e blá-blá-blá.

**A notícia boa:** isso quer dizer que o Scorpio também não tem poderes. Imagina se ele tivesse? Ele seria ainda mais insuportável.

E talvez você esteja se perguntando por que ninguém gosta de mim, já que eu sou a princesa do reino e é aqui que vem a explicação que eu prometi ontem: **ninguém** sabe quem eu sou.

Ninguém conhece o meu rosto, no caso, o rosto da princesa, por questões de: medo de maldições de bruxas malvadas. Existem muitas histórias dessas nos reinos vizinhos, muitas mesmo, e minha mãe não quis arriscar.

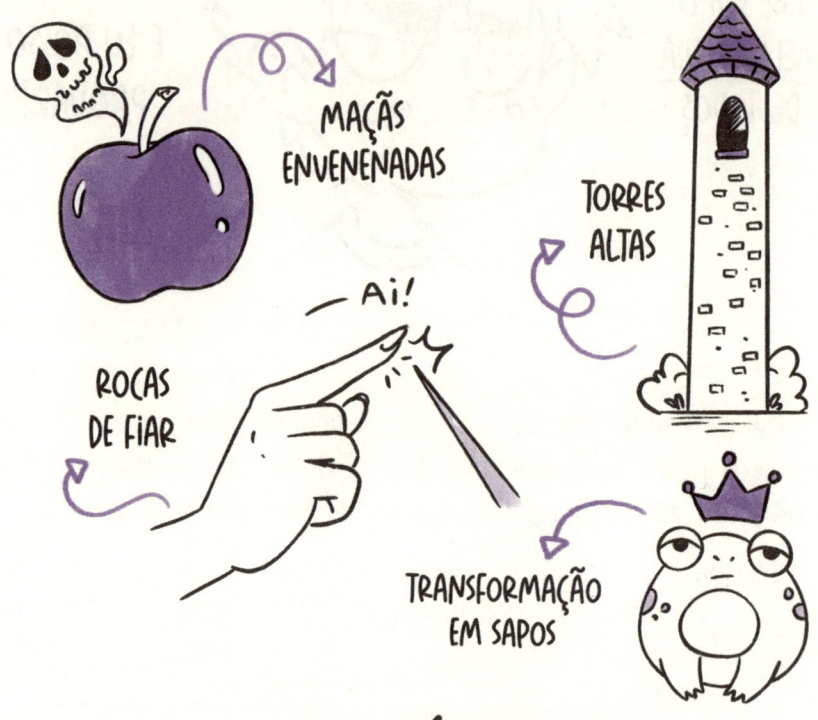

## A LISTA É IMENSA

Mas dentre todos esses truques de bruxas malvadas, eu com certeza cairia no truque da casa de doces.

Ok, eu não deveria estar contando isso para você, já que eu ainda não sei se você é confiável. E se você for mesmo o diário de uma bruxa malvada, *já era*, porque agora você já sabe como me capturar.

Mas imagina só uma casa feita de doces, bem na sua frente.

Quem é que não entraria e começaria a comer tudo? Sem dúvidas é a forma mais fácil de enfeitiçar alguém. Assim ou com um grande bolo de chocolate com chantilly enfeitiçado bem na beiradinha da minha janela.

Fica a dica, bruxa, se quiser me amaldiçoar.

Amaldiçoada, porém bem alimentada. Prioridades.

## A MELHOR FORMA DE SER CAPTURADA POR UMA BRUXA MALVADA:

Mas, por causa desse medo de maldições de bruxas malvadas, ninguém sabe quem eu sou. Nem o Scorpio, nem a Bruxonilda, nem os outros alunos que ficam rindo da minha cara. Todo mundo me conhece apenas pelo meu nome de mentira: *Florentina*.

O que não é bem um nome de mentira, já que *Florentina* é o meu terceiro nome e, por isso, é um nome muito comum no reino.

A única pessoa da escola todinha que sabe quem eu sou é a diretora da escola, Celestina, que é uma antiga amiga de infância da minha mãe e que jurou a ela jamais contar o meu segredo.

E falando na diretora, hoje eu tive um papinho com ela.

Depois do recreio, eu acabei sendo chamada na diretoria e eu nem sabia o motivo, então comecei a listar alguns enquanto esperava a Celestina aparecer, quando cheguei às seguintes conclusões:

**1.** Meu shorts estava rasgado e ninguém tinha coragem de me contar e apenas a Diretora Celestina seria capaz de fazer essa bondade.

**2.** O Scorpio inventou mais uma mentira sobre mim e eu seria expulsa.

**3.** Uma bruxa má e terrível me encontrou e veio me pegar.

Mas quando a diretora chegou, na verdade não era nada disso: amanhã vai chegar uma aluna nova. Ela era do interior da região de Alpínia e estudava em casa, então vai ser a primeira vez dela na escola e no centro do reino. E é agora que vem o motivo do papo: a diretora quer que eu apresente a escola à novata e a ajude na adaptação.

Tá bom, mas a Diretora Celestina sabe com quem ela está falando? Eu sou a ***pior pessoa*** do mundo, do planeta mágico intergaláctico, para essa missão. Se a aluna nova for vista comigo, ninguém da escola vai querer ser amigo dela, nunca mais, e o Scorpio ia se encarregar disso, com certeza.

Eu acho que a diretora pensa que, por eu ser princesa, eu tenho um dom natural em ser graciosa, soltar purpurinas e fazer amizades, mas a verdade está longe de ser essa.

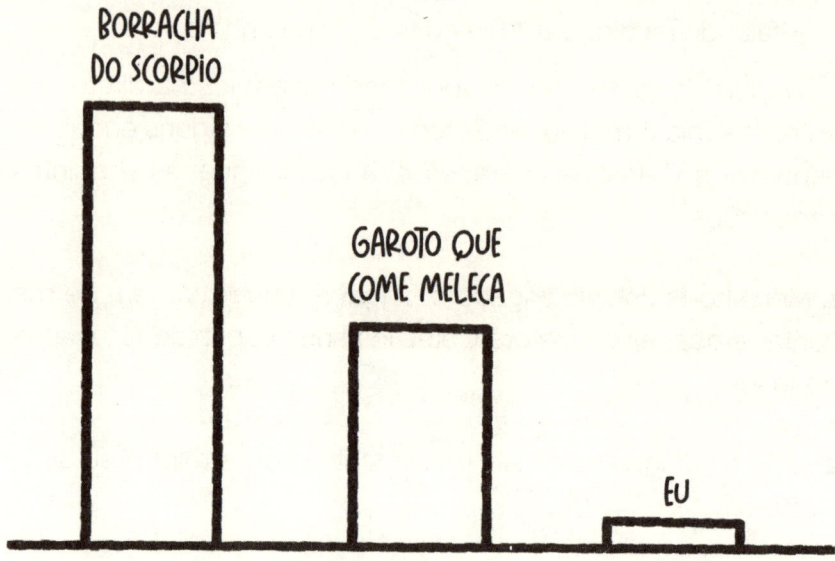

Mas como a Celestina sempre foi um amor comigo, não poderia dizer "não" para ela e aceitei essa tarefa. Então é isso, Diário, amanhã estragarei todas as chances de a nova aluna ser popular.

## QUARTA, 11 DE MAIO

Oi, Diário,

Eu tenho muitas coisas para te contar, então vamos por partes: você acredita que hoje de manhã minha irmã conseguiu deixar todo o castelo cheio de poeiras-tilintantes?

Se você não sabe o que é, isto são poeiras-tilintantes:

criaturinhas de poeira, invisíveis e que adoram morder e fazer cosquinhas nas pessoas, o que é MUITO IRRITANTE

Normalmente, toda casa tem uma ou outra poeira-tilintante, só que a Olivia conseguiu atrair todas do reino direto para a nossa casa. E como ela fez isso? Tentando lavar o uniforme dela com magia.

A Olivia é extremamente poderosa, mas ela ainda é muito pequena, então, vez ou outra, ela erra alguma palavra nas magias, o que causa um grande desastre (e fico feliz que dessa vez não foi na minha cara).

Então ela jogou uma magia de limpeza no uniforme e adivinha? Não deu certo, e em vez de limpeza, minha irmã atraiu todas as poeiras do reino direto para o castelo.

O que me fez começar o dia péssima: toda me coçando e cheia de poeiras-tilintantes me beliscando.

Foi só quando eu cheguei na escola que me lembrei de que aquele dia tinha tudo para ficar ainda pior: hoje eu ia apresentar a escola para a aluna nova e tudo que eu queria era fingir um desmaio e sumir.

Mas fui mesmo assim, porque eu claramente gosto de sofrer.

Na escola, a fofoca já acontecia: todo mundo sabia do caos no castelo e pela primeira vez agradeci por ninguém saber que eu era a princesa, senão todo mundo ia rir da minha cara.

Mais uma vez.

O ruim dessa história é que eu tinha que fingir que não estava toda me coçando, porque ficaria óbvio que eu moro no castelo e todo mundo poderia descobrir o meu segredo.

E não sei se você sabe, mas não existe nada PIOR do que sentir uma coceira e não poder se coçar. Da próxima vez que você sentir algo coçando lembre-se de mim e não coce: é a PIOR coisa do mundo.

Eu já estava surtando por dentro, mas me segurei e fiquei fingindo com a maior cara de plenitude já fingida por alguém no planeta todinho.

Olha, eu deveria ganhar um prêmio pela minha atuação.

PRÊMIO DE MELHOR ATRIZ POR FINGIMENTO DE NÃO ESTAR SE COÇANDO

No meio dessa minha batalha de autocontrole, eis que a diretora aparece com a aluna nova. Eu esperava uma garota tipo o Scorpio, que não ia nem olhar para a minha cara e depois ia começar a rir de mim com o restante da escola, porque já me acostumei com todo mundo me chamando de estranha.

Então foi uma surpresa quando percebi que ali, na minha frente, estava a pessoa mais incrível de todas!

Viu como ela é incrível? E ela, por algum motivo, consegue ver as poeiras-tilintantes. Ninguém nunca viu uma poeira-tilintante antes e foi ela quem fez aquele desenho lá no começo, o que para mim é um baita poder mágico!

Porém, como a Lila estudava em casa, ela teve que passar pelo Julgamento de Poderes, para avaliar se ela iria para a Escola de Magia ou para a Escola para Pessoas Não Mágicas. De acordo com as Leis Poderísticas, ver uma poeira-tilintante não é prova de ser um poder, então consideraram que ela não tinha nenhum e a mandaram para essa escola chata.

Mas voltando, quando a Diretora Celestina nos apresentou uma para a outra, a Lila logo viu que tinha uma poeira-tilintante mordendo o meu bumbum, o que a deixou muito curiosa, porque ela ama animais mágicos.

E adivinha só a melhor parte? Ela sabe como acalmar uma poeira!

Então a Lila tirou um frasquinho de dentro da bolsa de cogumelo, com umas folhinhas e um líquido azul. Ela misturou tudo e, no final, tinha um cheiro maravilhoso de amoras com menta e chocolate.

Com aquele cheiro no ar, eu já senti a poeira-tilintante parando de morder o meu bumbum e se acalmar, até que, de repente, a poeira não estava mais invisível.

Ela virou uma bolinha de pelos fofa bem diante dos nossos olhos!

De acordo com Lila, essa é a forma calma de uma poeira-tilintante, mas só é possível deixá-las calmas com a combinação perfeita das comidas favoritas delas: amora, menta e chocolate, e ninguém nunca tinha conseguido criar essa combinação perfeita até agora.

E acredita que a poeira-tilintante já estava pulando no meu colo e pedindo carinho? Deve ser porque ela ama amoras.

## NOVA MISSÃO: FAZER MINHA MÃE DEIXAR EU FICAR COM A POEIRINHA.

Porém toda essa história de poeira-tilintante fez a Lila, que é superesperta, entender tudo: eu morava no castelo, já que todas as poeiras-tilintantes estavam lá.

E nos próximos segundos ela já estava dizendo:

— Você é a princesa Amora? Sim, você é a princesa Amora, olha o seu cabelo roxo! Eu não acredito, você é a princesa Amora mesmo!

Não tive outra escolha a não ser contar para ela meu segredo e explicar que ela era a terceira pessoa que sabia e que deveria continuar assim, já que alguma bruxa malvada poderia me pegar igual às histórias dos reinos vizinhos.

Eu só não entendi uma coisa:

— Espera, por que você falou do meu cabelo roxo? Ninguém sabe a cor do cabelo da princesa… — perguntei baixinho.

— O meu pai tem um livro — Lila respondeu sorridente. — Nele tem uma lenda que diz que só as verdadeiras herdeiras de Florentia têm cabelos roxos. Eu nunca vi ninguém com o cabelo dessa cor, você é a primeira pessoa… Mas relaxa, o meu pai é a única pessoa que tem esse livro, ele achou em umas escavações.

Então a Lila me prometeu de dedinho guardar o meu segredo, e você sabe, as promessas de dedinho são as promessas mais importantes de todas!

Voltando para as aventuras da escola, por lá eu e a Lila tivemos que deixar a Poeirinha escondida para não arrumarmos confusão bem no primeiro dia da Lila, o que não deixou a Poeirinha nada feliz.

E nesse momento, com a Poeirinha nada feliz e fazendo sons bem bravos, aconteceu uma coisa muito estranha: ela ficou vermelha!

Então mais uma vez a Lila exclamou:

— Carambolas, as poeiras-tilintantes têm capacidades bioluminescentes de humor!

**Traduzindo:** a Poeirinha mudava de cor dependendo do humor dela e no momento ela estava fervendo de raiva, pois estava no tom vermelho-flamejante, já que ela teria que ficar dentro do meu armário durante toda a aula.

Mas nós deixamos ela ali dentro mesmo assim, porque eu tinha que apresentar a escola para a Lila e, claro, contar todas as fofocas para ela.

> A BRUXONILDA É CHATA, IMPLICANTE E A PIOR PROFESSORA DE TODAS!
>
> A COMIDA DA CANTINA NAS QUARTAS É RUIM, TEM JILÓ EM TUDO
>
> O SCORPIO É A PIOR PESSOA DESTA ESCOLA!!

E, por fim, contei a história de como eu e o Scorpio viramos arqui-inimigos, e ela rolou de rir. Mas também contei todas as maldades que ele faz comigo, e a Lila prometeu me ajudar na maior vingança de todas, e eu mal posso esperar por isso.

É assim que é ter uma melhor amiga? Se for, eu amei.

Já a Lila me contou que ela teve que se mudar para o centro do reino depois que o pai dela conseguiu um trabalho superlegal aqui perto. Ele é o pesquisador de animais magicamente perigosos e fofos mais famoso de toda Florentia: o Doutor Epimênides.

A Lila me disse que um dia vai me convidar para ir até sua casa, porque lá é cheio de filhotinhos muito fofos que cospem fogo e criaturas cintilantes com cheirinho de baunilha.

Então a gente passou o restante da tarde conversando sobre os diferentes tipos de animais mágicos que existem, mesmo que eu nem fizesse ideia da existência da maioria deles.

O que mais me deixou surpresa foram os dragões-libélulas, que são dragões bem pequenininhos, menores que um lápis, e que são tão, mas tão tímidos, que muitas pessoas não fazem a mínima ideia que eles existem.

Eu mesma não fazia ideia e nunca vi um.

Aliás, o maior sonho da Lila é se tornar a maior pesquisadora de animais magicamente perigosos e fofos que Florentia já viu, assim como o pai, e ela já tem um caderninho cheio de anotações sobre eles.

Igual a você, Diário, só que com coisas úteis de verdade.

Resumindo, hoje foi o melhor dia de todos na escola e a Lila até me deu este bilhetinho fofo:

*Eu gosto de você igual um lagarto-panqueca gosta de mel!*
*Lila*

Eu não entendi a comparação, mas acho que quer dizer que ela gosta muito de mim, então fiquei feliz.

A única coisa ruim é que a Lila não gosta das músicas da Rainha Noturna. Mas tudo bem, ninguém é perfeito, né?

TÁ TUDO BEM

EU TÔ ÓTIMA

Chegando em casa, eu tinha a difícil missão de convencer minha mãe de que eu merecia um animalzinho de estimação e que, oras bolas, já tinha um bem na minha frente e era só eu ficar com ele.

Então eu corri para o meu quarto e comecei o meu plano: enchendo a Poeirinha de fru-frus, o que eu acho que ela amou, pois ela ficou cor-de-rosa e começou a soltar uns barulhinhos fofos.

LAÇO FOFO, IRRESISTÍVEL

CHEIRINHO DE MORANGO

E não deu outra: a Poeirinha se tornou um sucesso e eu nem precisei pedir para ela ficar, porque ela já ganhou o coração de todo mundo!

E foi assim o melhor dia de TODOS, Diário. Espero que os próximos continuem sendo legais!

## SEXTA, 13 DE MAIO

Oi, Diário,

Eu não sei onde eu estava com a cabeça em pensar que o resto da minha semana seria ótimo, porque é a *minha* vida, ou seja: tudo foi um belo de um grande e estrondoso desastre.

Pra começar, a minha irmã voltou com as brincadeirinhas direcionadas a mim (para a minha tristeza) e dessa vez ela fez um par de óculos de disfarce grudar na minha cara.

Sabe aqueles óculos de disfarces que têm um bigodão? Pois é. Ela jogou uma magia de cola em um deles, fez eu experimentar e o negócio ficou grudado na minha cara e não saía por nada!

ERA O QUE ME FALTAVA...

E, para piorar, minha irmã usou a magia de cola irreversível, ou seja, *para sempre!* As coisas que ensinam na escola de magia.

Então tive que ir para a escola desse jeito.

Eu só queria sumir da face da terra ou torcer para que, por

algum motivo, todo mundo da escola resolvesse faltar. Só que quando eu cheguei, era o oposto disso.

A escola estava lotada, porque hoje era o dia do *Festival Fantástico de Cupcakes*. Nesse dia, todos os alunos tentam fazer o cupcake mais diferente e gostoso de todos e a escola fica aberta para quem quiser entrar e experimentar.

Ou seja: todo mundo da região estava na escola.

E, para piorar, eu tinha me esquecido do festival e não levei meus próprios cupcakes. O que me faria levar uma grande nota *zero*.

POR QUE TUDO TEM QUE ACONTECER JUSTO COMIGO?

Eu tinha certeza de que a Lila nunca mais ia querer andar comigo pela escola, mas quando ela me viu, você não vai acreditar no que ela disse:

EU TAVA PENSANDO NA MESMA COISA!

Sim, ela tirou um par de óculos de disfarce da bolsa e colocou, acredita nisso? A Lila tem de tudo naquela bolsa mesmo.

Disfarçadas, a Lila teve a brilhante ideia de fingirmos ser juradas de cupcakes, assim, poderíamos comer todos pelo caminho e dar notas. O que eu amei, então fomos todas estilosas e disfarçadas comer uns cupcakes.

Claro, fizemos questão de dar uma nota -10 para os cupcakes do Scorpio, o que foi muito divertido, porque ele nem imaginava que era um disfarce e que na verdade a nota era falsa.

Então ele ficou triste e eu muito, mas muito, feliz.

SCORPIO TRISTE = MINHA ALEGRIA

Só que lembra que eu disse que tudo foi um belo de um grande e estrondoso desastre? Pois bem, é agora que as coisas começam a piorar de vez. Porque o Scorpio, *perfeitinho, nunca errou*, achou uma injustiça a nota -10 que os cupcakes dele ganharam, já que *jamais* um cupcake feito por ele tiraria uma nota tão ruim.

Então, ele resolveu tirar satisfação com os jurados (os de verdade), que logo perceberam que havia duas juradas que eles nunca tinham visto na vida e o Scorpio foi contar tudo DIRETO para a Bruxonilda.

Não demorou para a professora fazer as contas e perceber

que eu e a Lila éramos as únicas alunas que não tinham aparecido no festival. O pior de tudo é que ela nos pegou bem no meio de uma avaliação crítica de cupcakes, então nem tinha como fugir.

Resumindo: broncas e mais broncas! A única coisa boa é que a Bruxonilda conseguiu tirar o feitiço de cola irreversível da minha cara, mas o dia não ia acabar feliz desse jeito, porque ela nos deu um baita castigo: lavar todos os pratos sujos do festival.

**PIOR CASTIGO DE TODOS**

O nojento era que eles estavam sujos dos mais diferentes recheios de cupcake: desde atum (que fedia muito), até extrato de tomate (que não fedia, mas é um péssimo recheio para cupcake).

A pior parte foi ter que ver o Scorpio rindo da nossa cara com os amigos popularzinhos dele e vencendo mais uma vez.

*Eu fiquei fervendo de raiva.*

Quando eu voltei para casa, depois de um festival horrível, fedendo a atum e com a barriga doendo de tanto comer cupcakes estranhos, as derrotas não tinham acabado: minha mãe tinha recebido uma carta gigante da Bruxonilda, dizendo o seguinte:

---

**ESCOLA PREPARATÓRIA
PARA PESSOAS NÃO MÁGICAS**

Cara mãe da Florentina,

não é de hoje que eu relato o mau comportamento da sua filha, mas hoje foi longe demais. Ela e a amiga Lila usaram disfarces, fingindo ser juradas no festival, apenas para sabotar as atividades escolares.

Medidas precisam ser tomadas.

Professora Nilda

---

**OLHA SÓ QUE BRUXA!**

Tentei explicar para a minha mãe que não fui eu que coloquei o disfarce e sim que foi uma pegadinha da minha irmã. Mas ela acreditou? Não. E ainda aumentou meu castigo por ter tentado culpar minha irmã *angelical* pela bagunça que eu tinha feito.

A minha mãe odeia mentiras, então ela sempre aumenta o meu castigo quando acha que estou contando uma (e infelizmente eu não tenho um passado muito confiável... Amora criancinha que o diga.)

AMORA, VOCÊ COMEU O BOLO?

NÃO, MÃE, FOI A OLIVIA.

P.S.: A OLIVIA NEM TINHA NASCIDO AINDA

Então é isso, agora estou oficialmente de castigo, o Scorpio saiu mais uma vez ganhando e a Olivia não para de rir da minha cara.

Não tem como piorar, Diário.

## DOMINGO, 15 DE MAIO

Oi, Diário,

Por que os domingos são tão *tediosos*? E fica pior ainda quando se está de castigo e não se pode fazer nada de legal.

### EU JOGADA SEM SABER O QUE FAZER NESSE DOMINGO TEDIOSO:

ROUPA 100% TÉDIO

CABELO 100% TÉDIO

EU TODA 100% TÉDIO

Não posso ir lá fora brincar com os filhotinhos de unicórnio que nasceram no estábulo, não posso mandar uma carta-voadora para a Lila e muito menos comer a torta de maçã-alada caramelizada que minha mãe fez. E você já sabe que é a minha favorita, então isso doeu demais.

Só que o pior de tudo era que eu também não podia ver televisão, e hoje a minha cantora preferida ia aparecer em um programa.

Eu implorei para a minha mãe de todas as formas. Até prometi lavar todas as louças de todos os dias pelos próximos cem anos, porém ela disse que nada me tiraria do castigo. Tudo culpa da minha irmã e das pegadinhas dela.

Sem nada para fazer, comecei a brincar com a Poeirinha pela milésima vez no dia, só que até ela já estava cansada da minha cara. Pra piorar, eu sem querer tropecei na casinha dela e caí direto com a cara no chão.

Parece ruim né? Mas isso ia salvar a minha tarde, porque atrás da casinha da Poeirinha, havia algo:

BURACO MISTERIOSO

Sim! Atrás da casinha da Poeirinha havia esse buraco misterioso, que eu nunca tinha visto no meu quarto. Me deparei com a oportunidade perfeita de me divertir nesse domingo tedioso.

Então, sem pensar duas vezes, entrei ali dentro.

Lá estava muito escuro e eu admito que estava morrendo de medo de aparecer uma barata-cascuda e voar direto na minha cara. Mas a minha curiosidade falava mais alto e, mais do que tudo, eu queria saber o que tinha do outro lado.

Depois de caminhar pelo que parecia ser um longo túnel, a luz do outro lado começou a aparecer, até que percebi que eu estava do lado de fora do castelo.

Bem dentro do estábulo.

E, Diário, eu nunca iria me perdoar se eu não aproveitasse essa aventura, então eu comecei a me esconder pelos cantos do estábulo, igual ao desenho de umas três espiãs que passa na TV Golfinho.

Até que eu consegui chegar, sem ser vista, na frente da cabana do cavalariço, o Senhor Jeremias, e pela porta aberta eu consegui vê-lo deitado no sofá assistindo ao futebol na televisão.

E eu não queria assistir ao futebol, então aproveitei que ele estava dormindo, fui devagarzinho até o controle no chão e mudei de canal. Depois corri e voltei para o meu esconderijo dentro de um monte de feno.

EU FIQUEI ALI POR HORAS...

Será que o Senhor Jeremias sentiu que estava sendo observado? Não sei. Só sei que ele ronca alto e não me deixava assistir direito ao *Programa do Tritão*.

Se você não conhece, é um programa que só passa aos domingos, apresentado pelo apresentador Tritão. Ele é um tritão mesmo, superfamoso por aqui por seu charme e beleza – acho que é porque ele é todo musculoso e aparece sem camisa na cachoeira.

*Segredo*: a Senhora Dulce tem um pôster dele escondido na parede da cozinha.

Mas o programa dele é mesmo bem legal, com várias reportagens interessantes e entrevistas com famosos do reino. A convidada de hoje era a minha cantora favorita: a Rainha Noturna.

Ela não é rainha de verdade, já que, como você sabe, a rainha é a minha mãe, mas ela é tão maravilhosa quanto uma – e todo mundo por aqui a ama (tirando a Lila, o que partiu meu coração).

Essa cantora é simplesmente maravilhosa, sério. A voz dela

# REVISTA fadas

AUTORIZADO POR FLORENTIA

**ESPECIAL TRITÃO**
Dicas de como ser lindo como o Tritão

Por onde anda o Floreante Viajante?
**Descubra!**

**15** dicas do que fazer na Festa Solar

## Rainha NOTURNA
Para mostrar que quem quiser pode ser uma rainha

ED. MAIO n 9.30-33.1.15
5$

flutua no ar como nuvens de algodão-doce, linda e suave como o canto de uma sereia, sem contar que ela tem uma história muito emocionante.

Eu já tinha visto a história dela no *Fofocas da Torre*, mas hoje na entrevista com o Tritão ela deu ainda mais detalhes.

Quando ela era criança, ela tinha uma mãe terrível que fazia de tudo para se livrar dela e do irmão gêmeo, até que um dia a mãe teve a ideia mais maléfica de todas: deixá-los no campo das flores envenenadas de Florentia.

Então, naquele dia, a mãe da Rainha Noturna jogou um feitiço de sono nos filhos e os deixou adormecidos no meio das flores envenenadas, mas não aconteceu nada do que ela imaginou.

Por alguma razão, as flores não envenenaram a Rainha Noturna; na verdade, ela absorveu todo o veneno e se tornou uma florentia ela própria.

Porém, o irmão dela não teve a mesma sorte, porque ele não tinha os mesmos poderes que a irmã e não resistiu ao veneno.

Com a dor de perder o irmão gêmeo, a Rainha Noturna só foi perceber depois que, por ter adormecido deitada em cima das flores, o lado direito do rosto dela ficou ferido e as asas de fada acabaram se queimando.

Naquele dia, a Rainha Noturna perdeu o irmão e suas asas, e passou a carregar o veneno das flores com ela.

Desde então, assim como as flores de Florentia, a Rainha Noturna brilha como uma lua cheia em uma noite escura. Ela poderia ser uma pessoa má, mas não, ela só quer levar alegria e doçura com a sua voz.

Não me canso de admirá-la.

Depois de contar essa história emocionante, ela ia cantar a minha música favorita, só que o Senhor Jeremias acordou, e eu tive que voltar correndo para o castelo.

Chegando lá, minha mãe começou com um interrogatório sobre onde eu estava, e eu disse que estava brincando de esconde-esconde e esperando alguém me encontrar. O que não era mentira, já que eu estava mesmo escondida, só que na cabana do estábulo.

Então esse é o meu mais novo segredo, Diário: quando eu crescer eu quero ser tão inspiradora e corajosa quanto a Rainha Noturna. E, claro, agora eu tenho o meu próprio esconderijo secreto.

## SEGUNDA, 16 DE MAIO

Oi, Diário,

Eu acho que você já pode ser oficialmente promovido para "querido diário", já que até agora ninguém descobriu nenhum dos meus segredos e muito menos uma bruxa malvada apareceu tentando me enfeitiçar com uma casa de doces (infelizmente).

Então, é, acho que você é confiável.

O que nos leva para um novo nível de amizade, aquele em que você vai saber todos os meus segredos, então se prepare para o maior de todos!

A Lila teve uma ideia brilhante de como a gente poderia se vingar do Scorpio por causa do dia dos cupcakes: temos que pegar o caderninho secreto dele e descobrir todos os planos maléficos escondidos ali.

Claro que não será fácil, porque o Scorpio não se separa daquele caderninho por nada nesse reino, mas com certeza vai valer a pena, já que ali ele deve contar todas as maldades que planeja fazer.

**ALGUMAS MALDADES QUE COM CERTEZA ESTÃO NO CADERNO:**

( ) TROCAR GELEIA POR PIMENTA NA CANTINA.

( ) COLOCAR ALMOFADA DE PEIDO NA CADEIRA DA FLORENTINA.

( ) SER O QUERIDINHO DA BRUXONILDA.

E se eu souber todas as maldades que o Scorpio planeja, pela primeira vez eu saberia como superar o Scorpio e todas as *maleficências* que ele faz.

Só que a parte difícil é: como pegar o caderno dele?

Então eu e a Lila ficamos quebrando a cabeça com vários planos, como por exemplo um que envolvia fazer uma torta de mirtilos-nebulosos azedos para o Scorpio que seria tão azeda que ele daria o caderno para a gente. Não sei por que, mas pensamos nisso. Só que jogamos esse plano no lixo, porque com certeza o Scorpio gosta de coisas azedas.

Já em outro plano nós pensamos em montar uma armadilha, fazer o Scorpio cair dentro dela e a gente só o soltaria se ele nos desse o caderno. Só que a gente não sabe fazer armadilha, então esse plano também foi parar no lixo.

Até que, no meio da aula, a oportunidade do plano perfeito caiu do céu, porque olha só o que todos os alunos da sala receberam:

## Festa à fantasia do Scorpio

ESCOLHA SUA MELHOR FANTASIA E VENHA COMEMORAR
28 DE MAIO, NA MANSÃO SOMBRIA

RUA GALHO SECO, NÚMERO 1. REGIÃO DE LAGUNA - FLORENTIA

Você deve estar se perguntando por que eu fui convidada já que o Scorpio me odeia, mas são as regras da escola: se você quiser convidar algum aluno para seu aniversário, todos devem ser convidados.

Eu nunca fui a nenhuma festa do Scorpio, então acho que é por isso que ele me convida sem questionar as regras, mas esse ano as coisas serão um pouco diferentes.

Com esse convite que caiu do céu, eu e a Lila vimos a oportunidade perfeita de executar o nosso plano, teremos uma semana para planejar tudo, o que inclui nossas ultramegafantasias para serem os disfarces perfeitos.

E eu já tinha várias ideias.

## SEGUNDA, 23 DE MAIO

Querido Diário,

Viu como você está chique sendo chamado de "querido" agora? Fiquei uma semana sem aparecer, pois eu estava muito ocupada planejando um plano perfeito de vingança com fantasias lindas e perfeitas e brilhantes.

A festa do Scorpio já será nesse sábado, e toda hora que eu me lembro disso, fico ansiosa e minha barriga começa a doer, Então para me distrair, eu planejo mais e mais fantasias.

POIS É, EU PRECISEI ME DISTRAIR MUITO!

Ao todo, fiz cento e vinte e duas opções de fantasias, que vão desde monstros marinhos de um olho só até fantasias das princesas dos outros reinos que aparecem no *Fofocas da Torre*.

A Lila não gostou muito dessa ideia, já que todo mundo poderia pensar que somos as princesas de verdade e todos iam querer tirar foto com a gente, o que não seria nada discreto.

Tirando essas fantasias, sobraram noventa e sete opções.

Como a discrição era o nosso principal objetivo (sim, eu esqueci), tive que cortar todas as ideias que envolviam monstros brilhantes, gosmentos, com garras e os gigantes de um olho só.

Então sobraram setenta e uma opções.

Depois, tive que cortar as fantasias fofinhas, que envolviam unicórnios, Pégasos-chantilly e outras criaturas felpudas, já que era possível que os convidados achassem fofo e não nos deixassem em paz.

Então restaram apenas trinta e quatro opções.

Fantasias com cores chamativas? Eliminadas. Fantasias com cheirinho de tutti frutti? Nem pensar. Fantasias futurísticas cheias de luzes piscando? Na-na-ni-na-não.

Assim chegamos à última opção que sobrou e que teve que ser a escolhida, mas vou deixar de surpresa, porque ainda temos muita coisa para planejar.

Já na escola, as coisas continuavam do mesmo jeito: o Scorpio tentando superar tudo que eu faço e a Bruxonilda tentando tornar tudo ainda mais difícil, mas a ideia de ter finalmente minha vingança fazia com que eu não me importasse tanto com tudo isso.

Só que hoje aconteceu uma coisa e eu *quase* me importei.

Isso porque hoje saiu o resultado da prova de História da Família Real, ou seja, uma matéria completamente, totalmente, inteiramente, todinha mesmo sobre a minha família.

Então adivinha a nota que eu tirei.

*Dez*, você deve estar pensando.

Mas não. Eu tirei um grande *zero*.

A Bruxonilda fez o possível para inventar erros em todas as minhas respostas, por exemplo, falando que o nome da rainha não era o que eu tinha colocado na prova.

E, sim, a rainha é a minha mãe, como é que eu não sei o nome da minha própria mãe?

Em outra questão, ela disse que estava errada a quantidade de cômodos que havia no castelo, e até aí tudo bem, eu posso ter "errado" mesmo, já que ela não conhece os cômodos secretos do castelo.

Mas a que me deixou com mais raiva foi a questão que perguntava o nome completo da princesa.

Sim, ela teve a audácia de falar que eu não sei o meu *próprio* nome. Eu tirei nota zero em uma questão que perguntava O MEU PRÓPRIO NOME.

EU QUANDO VI ISSO...

Eu juro que queria falar bem alto que eu era a princesa e que eu sabia sim o meu próprio nome, mas, como você sabe, eu não podia. Mesmo fervendo de ódio por dentro como se eu fosse um caldeirão de bruxa, tive que fingir que ela tinha razão e que eu não sabia nada mesmo.

Só de me lembrar disso eu já me sinto cheia de raiva de novo.

E, claro, o Scorpio se aproveitou da situação como sempre, e começou a espalhar para toda a escola que eu era uma desonra para o reino, porque nem o nome da rainha nem da princesa eu sabia.

Então agora eu tenho mais uma fama na escola: a menina que é uma desonra para o reino e que nem sabe o nome da princesa.

A fama mais irônica de todas que eu já tive.

## QUARTA, 25 DE MAIO

Querido Diário,

*A Olivia descobriu tudo!*

Ela descobriu o nosso plano de ir na festa do Scorpio disfarçadas, descobriu o plano de pegar o caderno dele e, para piorar, ela ameaçou contar tudo para nossa mãe, e se ela fizesse isso, eu não poderia ir à festa.

Então, adivinha? Eu tive que prometer que a levaria comigo.

Sim, isso mesmo. O que poderia ser pior do que uma irmãzinha nada angelical na festa do meu arqui-inimigo nada angelical, enquanto eu faço um plano nada angelical?

Nada, repito, nada poderia ser pior.

EU POR FORA

NÃooo

EU POR DENTRO

Agora eu e Lila tivemos que refazer todo o nosso plano, incluindo minha irmãzinha, o que dificultava ainda mais as coisas, porque nós teríamos que ficar de olho para ela não se enfiar em confusões e não lançar magias indesejadas nas pessoas, ou pior: revelar que eu sou a princesa.

Todo mundo sabe quem a Olivia é, ou seja, ela não precisa se esconder como eu. Isso porque a minha mãe disse que as maldições sempre pegam nas filhas mais velhas e, então, só eu deveria me proteger.

O que eu acho horrível, porque a Olivia sempre ganha doces e presentes na escola, enquanto eu ganho apenas *raiva*.

### OS PRESENTES QUE EU GANHO NA ESCOLA:

- TONELADAS DE PIADINHAS DO SCORPIO
- QUILOS DE RAIVAS
- COLEÇÃO DE BOLINHAS DE PAPEL NO CABELO
- MUITAS NOTAS ZERO SEM MOTIVO

"PRESENTES": RAIVA, PIADAS, NOTA ZERO

Então, durante todas as aulas chatas de hoje, nós tivemos que pensar em formas de deixar a Olivia distraída e longe de problemas na festa.

O que era muito complicado, porque tudo parecia que acabaria em uma grande e estrondosa confusão. Olha só!

**Deixar minha irmã distraída na mesa dos doces:** com certeza ela daria um jeito de derrubar todos os doces da mesa direto para o chão, o que deixaria a festa sem docinhos, todo mundo com raiva e estragando de vez os nossos disfarces.

### A OLIVIA NÃO TEM UM BOM HISTÓRICO COM DOCINHOS EM FESTAS.

**Deixar minha irmã brincando no jardim:** com certeza ela se perderia, cairia no lago e seria devorada por um dos crocodilos-guardiões que protegem o lago ao redor da mansão da família do Scorpio.

Logo em seguida, pensamos em não levar minha irmã na festa e fingir que esquecemos, mas ela começaria a chorar, o choro ecoaria por todo o reino e todos descobririam o nosso plano.

Ou seja, nenhuma opção parecia boa, então decidimos só deixar minha irmãzinha por perto durante todo o nosso plano, para ficarmos de olho em tudo que ela fizesse.

Já a fantasia dela era outro problema. Porque minha irmã não usaria qualquer fantasia, então tinha que ser algo discreto e que a agradasse.

E eu não tinha lá muita opção de escolha, já que ou eu a agradava, ou o nosso plano iria por água abaixo. E para agradar a Olivia, a fantasia deveria ter, no mínimo, todas essas coisas: joias fabulosas, muita purpurina fabulosa, penas fabulosas, magia fabulosa para tudo ficar ainda mais fabuloso.

Me deseje boa sorte...

# SEXTA, 27 DE MAIO

Querido Diário,

A festa do Scorpio é amanhã e eu sinto como se tivesse um milhão de borboletas na minha barriga dando piruetas sem parar.

Nossas fantasias já estão prontas com a ajuda da minha mãe, que fez as roupas em um passe de mágica. Ela achou uma ótima ideia eu ir à festa do Scorpio e tentar fazer as pazes com ele... Sim, foi isso que eu contei pra ela.

Claro que minha mãe nem imagina que eu estou muito longe de querer alguma amizade com o Scorpio e que na verdade eu só quero ir à festa por causa do plano.

Nosso plano também já estava pronto, incluindo minha irmãzinha nada angelical e todas as coisas que ela poderia aprontar na mansão.

Se ela caísse no lago de crocodilos-guardiões: a Lila usaria a vara de pescar que eu ganhei de aniversário para puxá-la de volta.

Finalmente uma utilidade para esse presente.

Se ela derrubasse todos os docinhos da mesa: eu tinha feito uma plaquinha de "Cuidado, docinhos no chão, pegue o seu", como se fizesse parte da decoração.

Agora eu vou descansar, porque amanhã o dia vai ser cheio!

# SÁBADO, 28 DE MAIO

Querido Diário,

Eu nem sei por onde começar.

Acabei de voltar da festa do Scorpio e aconteceu tanta coisa, *mas tanta coisa*, que eu tenho muito o que contar.

E uma coisa que eu posso adiantar é que, no momento, eu estou toda coberta de caramelo e chocolate, o que é um cheiro maravilhoso, mas nada legal quando isso gruda em toda a sua roupa e no seu cabelo.

E como essa história tem muitos detalhes, vou contar de um jeito um pouco diferente, então vamos do começo.

## A HISTÓRIA DA FESTA DO SCORPIO E DO PLANO NADA ANGELICAL

Quando acordei, eu tinha me esquecido de que hoje era o dia da minha grande vingança. Eu estava feliz, com o sol batendo no meu rosto, a <u>brisa fresca</u> da manhã balançando a cortina e o aroma de biscoitos que chegava até o meu quarto.

**(NÃO TINHA BRISA FRESCA NA VERDADE, EU LI ISSO EM UM LIVRO.)**

E toda minha alegria acabou no segundo seguinte, quando minha irmãzinha entrou pela porta gritando e cantando que hoje era dia de festa.

A animação dela era tão grande que parecia até que a festa era do melhor amigo dela. Na verdade, a Olivia deve mesmo considerar o Scorpio quase como um melhor amigo, já que ele me odeia.

Minha irmã ama todo mundo que me odeia.

— Cadê a minha roupa de princesa das fadas? — ela perguntou dando rodopios pelo quarto.

— Olivia, você não é uma fada. — Eu juro que isso saiu sem querer.

— Daqui dois anos a gente conversa, chata.

Deixa eu te explicar: as asas de uma fada só aparecem no aniversário de dez anos. Ainda não sabemos se a Olivia é uma fada igual a nossa mãe ou se ela só tem poderes, então daqui dois anos vamos descobrir isso.

A Olivia jura que já é uma fada, e se ela for mesmo, vai ser ainda mais metida e me falar um monte de "eu avisei!", então boa sorte para mim.

E bom, a minha provocação não deixou a Olivia nada feliz. Então no próximo segundo a minha coberta estava voando pelos ares e o meu colchão literalmente me cuspiu da cama direto para o chão, ao som das risadas da minha irmã.

Sim, ela tem apenas oito anos e já é poderosa desse jeito. Não quero nem ver quando ela tiver dez anos.

## ISSO NÃO FOI NADA LEGAL

Já que eu não tinha escolha, eu me levantei do chão e peguei as nossas fantasias no armário, entregando a de Olivia para ela. Minha irmã virava a roupa de um lado para o outro, procurando algum defeito, mas, claro, não achou nenhum.

Primeiro porque a fantasia estava linda, e segundo foi a nossa mãe quem fez. Então se ela achasse ruim ia direto para o castigo.

E, claro, eu amei isso.

— Tá bem... Bonita. — Minha irmã pela primeira vez foi sincera. — E o presente dele?

E, ok, essa pergunta da Olivia me fez perceber que eu não tinha preparado um presente. Eu nunca na minha vidinha ia pensar em dar um presente para o Scorpio, mas, para o disfarce ficar perfeito, eu precisava levar alguma coisa.

Então me veio uma ideia!

— Vou dar isso! — falei pegando o saco de presente no meu armário.

— Você vai dar o presente QUE EU TE DEI?

— Olivia, você me deu um saco de presente VAZIO.

— Mal-agradecida!

Ela, então, saiu brava do meu quarto, e, me importando zero com isso, fui começar a me arrumar.

A festa do Scorpio seria durante a tarde, então logo, logo, nós teríamos que sair de casa, porque ele não mora muito perto do castelo.

Na verdade, o Scorpio mora em uma das regiões mais assustadoras do reino: a região de Laguna, um lugar sempre coberto por uma névoa gelada e lagos profundos e borbulhantes. Há uma lenda que diz que Laguna era um lugar colorido e feliz, porém uma terrível bruxa pegou toda a alegria de lá, não deixando nada além de frio e tristeza.

Atualmente, a família do Scorpio é a única que ainda mora por lá, na grandiosa Mansão Sombria. A mansão é uma herança que passa de geração em geração na família dele, desde quando Laguna ainda era uma lugar colorido, bonito e feliz.

Eu não conheço a família do Scorpio, eles são bem misteriosos e ninguém nunca aparece nas reuniões escolares...

Mas voltando para as fantasias da festa, como você sabe, eu tive que fazer uma fantasia que agradasse a minha irmã e que, ao mesmo tempo, fosse discreta e que não estragasse o nosso plano.

Então a escolha perfeita foi: disfarces de fadas fantasiadas de guerreiras.

Ou seja, todo mundo na festa vai imaginar que somos fadas que estão usando fantasias de guerreiras, assim ninguém vai adivinhar que somos nós, já que não somos fadas.

Então, as nossas fantasias têm asas de fada bem cintilantes, que brilham com uma magia que minha mãe jogou nelas, o que fez com que elas parecessem asas de fada de verdade. Com partes de armaduras das guerreiras do castelo.

Já para ninguém nos reconhecer, já que todo mundo sabe que a Olivia é a princesa e o Scorpio poderia reconhecer o meu rosto e o da Lila, eu desenhei uma linda máscara de borboleta para o disfarce. Assim ninguém vai imaginar que é a gente!

ASAS CINTILANTES DE FADA

MÁSCARA ULTRA IRRECONHECÍVEL

ARMADURA DE GUERREIRA PODEROSA

ESPADA DE MENTIRINHA

Minha irmã não achou nenhum defeito na fantasia, porque juntava as duas coisas que ela mais amava: fadas e guerreiras, um amor que a gente tem em comum.

Depois de prontas, nós entramos na carruagem-disfarce, que é basicamente uma carruagem sem os símbolos do castelo e que nós usamos para andar pelo reino sem levantar suspeitas.

— Será que as minhas asas vão ser desse jeito? — Olivia perguntou assim que entramos na carruagem.

— Só se você for uma fada — juro que escapuliu mais uma vez...

— Para, você é uma chata!

Depois disso a Olivia ficou emburrada, só olhando pela janela.

Na carruagem fomos até a casa da Lila, onde ela nos esperava também toda animada usando a mesma roupa que eu e a Olivia. Então eu peguei um pouco do pozinho de fada que minha mãe me deu e joguei em cima das asas dela, para que também parecessem reais.

E assim nós fomos, felizes, cantando na carruagem (e a Olivia resmungando), até chegar à sombria Laguna para a festa sombria do sombrio Scorpio.

Bem na entrada da mansão, o Scorpio recebia os convidados com aquela cara maldosa de sempre, o sorriso falso e o cabelo mais espetado do que nunca.

A Olivia foi na frente, abraçando ele como se fossem amigos.

— Que festa linda e seu cabelo tá muito legal!

A Olivia é muito falsa, porque a última coisa que o Scorpio pode estar é "legal".

Depois foi a vez da Lila, que deu um abraço rápido nele, sem falar nada. Já na minha vez, eu só joguei o saco de presente no colo dele e saí correndo pra dentro da festa.

A festa do Scorpio tinha cheiro de pipoca caramelizada com chocolate, o que era um cheiro maravilhoso e que eu nunca imaginaria sentir numa festa dele. Na minha cabeça, todas as festas dele só tinham coisas chatas e comidas ruins, tipo matemática e docinhos de jiló.

Depois do cheiro de caramelo no ar, a segunda coisa que eu notei era que realmente havia várias fadas na festa, o que fazia o nosso disfarce ser mesmo o disfarce mais perfeito de todos.

Então eu peguei um pacotinho de pipoca caramelizada com chocolate (talvez três pacotinhos), e era a hora de colocar o nosso plano em ação.

Só que do nada a bolsinha de pompom rosa-neon da minha

irmã começou a pular. Sim, a bolsa dela começou a mexer de um lado para o outro, como se tivesse alguma coisa ali dentro querendo sair.

— O que é isso na sua bolsa? — perguntei baixinho, mas o que eu queria mesmo era chorar, porque mal começamos e as derrotas já tinham aparecido graças à minha irmã.

E então ela se vira para mim, com a maior cara de tranquilidade do mundo, e diz:

— É meu novo bichinho, um dragão-estrela-nebulosa.

— Dragões-estrelas-nebulosas estão extintos há séculos! — Lila logo disse e, como você sabe, ela tem muita experiência com animais mágicos.

— Então por que tem um na minha bolsa? — E nesse momento minha irmãzinha puxou algo de dentro da bolsinha.

Sim, era realmente um dragão. Na verdade, um filhotinho bem pequeno ainda, que cabia na palma das mãos, mas era um dragão.

**ELE ERA ASSIM:**

As escamas dele eram lindas, uma mistura de azul-claro e rosa, como se fosse uma junção de nuvens coloridas, com vários pontinhos brilhantes como estrelas.

Eu nunca tinha visto um dragão-estrela-nebulosa, mas se existisse um, com certeza seria daquele jeito. Acho que a Lila pensou a mesma coisa, já que ela exclamou:

— CARAMBOLAS, é mesmo um dragão-estrela-nebulosa, eles estavam extintos há uns milhões de anos, o meu pai tem vários livros sobre eles, vários mesmo, Amora, meu pai precisa ver isso...

E durante a empolgação da Lila sobre o dragão no colo da minha irmã, o dragãozinho aproveitou a oportunidade para dar um grande pulo e sair correndo para longe.

Era o que faltava para o nosso plano ir por ralo abaixo.

Porque a primeira coisa que o dragãozinho fez foi passar em cima da mesa de docinhos e derrubar tudo, mas tudo mesmo, no chão. A sorte é que não tinha ninguém por perto, e, claro, eu também já estava preparada para isso.

Então coloquei a placa que eu tinha feito, escrito "Cuidado, docinhos no chão!", e fui correndo atrás do dragão, com a Lila e a minha irmã.

Eu nunca tinha perseguido um dragão antes e agora posso dizer: é muito difícil. A todo segundo eu o perdia de vista e ele aparecia do outro lado, dando rodopios e fugindo para longe de novo.

Até a Lila, que tem muita experiência com dragões, achou difícil, porque ela nunca perseguiu um dragão-estrela-nebulosa antes e de acordo com ela, eles são muito *evaporantes*.

Correndo de um lado para o outro dentro da casa do Scorpio, nós acabamos chegando no salão principal e foi ali que eu quase desmaiei.

Porque o dragão correu e pulou bem no colo de uma moça.

Só que ele não pulou no colo dela tentando fugir, o dragão pulou ali como se já conhecesse aquela moça havia anos.

E foi quando eu levantei os olhos e fixei meu olhar no dela que eu quase desmaiei. Porque eu também a conhecia fazia anos.

Ela era nada mais, nada menos do que a *Rainha Noturna*.

**MINHA CARA QUANDO VI QUE ERA A RAINHA NOTURNA!**

A minha cantora favorita estava na festa da pessoa que eu mais odiava no planeta Terra todinho! De onde é que o Scorpio conhecia a Rainha Noturna? Por que ela estava na festa dele? Com certeza a família rica dele a tinha contratado, só para que ele esfregasse na minha cara que a Rainha Noturna tinha ido à festa.

Mil coisas se passavam na minha cabeça, quando ela disse sorrindo:

— Acho que ele se cansou.

Sim, a Rainha Noturna falou comigo. Sorrindo!

E a voz dela pessoalmente era ainda mais linda do que ouvindo pela televisão, porque a voz dela parecia voar ao meu redor e me abraçar num abraço superaconchegante.

Não me impressiona que o dragãozinho tenha dormido no colo dela, porque era justamente isso que ela passava: paz e uma sensação de leveza.

Minha cantora favorita, então, caminhou até a minha direção, balançando o vestido azul-brilhante de um lado para o outro, e colocou o dragãozinho adormecido no meu colo. Eu só queria gritar, mas juro que fingi costume.

— Você é a Rainha Noturna?

Foi o que saiu da minha boca e *que ódio*. É claro que ela era a Rainha Noturna, ela estava bem ali na minha frente e eu sabia disso, então por que eu fiz essa pergunta?

Mas ela, então, sorriu para mim como se a minha pergunta não fosse a mais óbvia de todas, como se eu fosse uma pessoa muito interessante.

— Sim, eu sou — ela disse com simpatia — e que cabelo lindo, qual o seu nome?

Tá, foi nessa hora que eu simplesmente congelei. Primeiro porque ela elogiou meu cabelo e, segundo, ELA PERGUNTOU O MEU NOME!

Mesmo ela sendo a Rainha Noturna, eu não poderia falar que meu nome era Princesa Amora Maria Florentina de Florentia, muito menos falar que meu nome era Florentina, senão o Scorpio poderia saber que eu estive na festa dele.

E acredite se quiser, foi minha irmã quem me salvou:

— O nome dela é Amoeba. Ela é muito sua fã e o dragãozinho é meu — respondeu enquanto tirava o dragão adormecido do meu colo e eu continuava congelada.

Amoeba... Que nome é esse? Ela não poderia ter inventado um nome melhor? Mas tudo bem.

O que importa é que nesse momento a Rainha Noturna pegou

um papelzinho e uma caneta de fada com cheirinho de tutti frutti e me deu um autógrafo.

Tudo bem, o autógrafo foi para uma tal de Amoeba, mas você tem noção disso? Eu vi a Rainha Noturna. Na minha frente. Eu senti o cheirinho dela bem no meu narizinho. E ela me deu um autógrafo.

Que eu vou deixar aqui para eu nunca me esquecer desse momento:

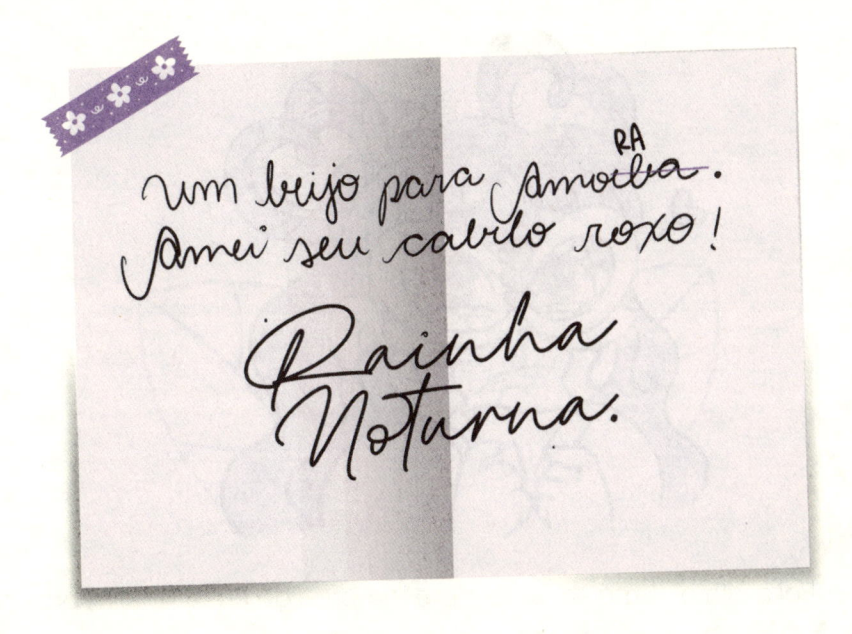

> Um beijo para Amoeba (RA).
> Amei seu cabelo roxo!
> Rainha Noturna.

Olha como ela é fofa! Naquele momento eu só queria chorar e dar um abraço nela, mas a Rainha Noturna não abraça as pessoas por causa do veneno das flores que corre dentro dela, então eu me segurei.

— Com licença, meninas, preciso me arrumar, vou me apresentar daqui a pouco. — Ela, então, sorriu para mim. — Espero que vocês gostem da apresentação. Amei te conhecer, Amoeba.

E assim ela saiu, andando para longe, com o vestido balançando de um lado para o outro, como se ela nem fosse de verdade.

Eu só tenho certeza de que isso aconteceu de verdade por causa do autógrafo que eu colei ali, caso contrário eu teria fortes dúvidas de que desmaiei perseguindo o dragãozinho e de que tudo não passou de um grande sonho.

O meu coração naquele momento estava derretidinho como manteiga e meus olhos estavam cheios de lágrimas.

Foi a Lila que me sacudiu e me lembrou do nosso plano: procurar o quarto do Scorpio e pegar o caderninho de maldades dele. O que era uma missão bem difícil, porque a Mansão Sombria era ainda mais enorme do que eu imaginava, com milhares de portas, corredores, colunas e salões.

E no meio das nossas buscas entre portas e mais portas da mansão, eis que o ar começou a ficar com um cheiro maravilhoso de macarrão de queijo gratinado, o que fez minha barriga roncar.

Só que não foi só a minha barriga que acordou. A do bendito dragãozinho também.

O que fez ele pular mais uma vez do colo da minha irmã e sair correndo pela festa em busca do macarrão de queijo gratinado. E dessa vez eu não posso nem julgar, porque o aroma estava mesmo maravilhoso.

Então aproveitei para descobrir com ele onde é que estava a comida, o que nos levou direto para o jardim.

Ali estavam todos os convidados da festa, basicamente a escola toda, já que como você sabe, o Scorpio é muito chato, mas muito popular.

No meio do jardim tinha até um pula-pula de bolinhas coloridas, que o dragãozinho amou. No segundo seguinte já havia um dragão pulando pelos ares e rodeado de bolinhas.

Todo mundo na festa achou que o dragãozinho era algum tipo de atração e fizeram uma roda ao redor do pula-pula para assistir às piruetas e mais piruetas que ele dava em seu show.

E foi quando o dragãozinho estava pulando que olhei para cima e meus olhos encontraram uma janela aberta no topo da torre da mansão.

Aquela janela era do quarto do Scorpio e eu sabia disso porque o caderno de maldades dele estava em cima da sacada da janela.

— Lila, olha ali! — Foi o que eu falei quando cutuquei a Lila e mostrei o caderninho para ela.

Assim que a Lila viu, ela logo teve a melhor ideia de todas: pegou a vara de pescar na bolsa, que seria para salvar a minha irmã caso ela caísse no lago, e jogou o anzol até a janela do Scorpio.

Assim a Lila conseguiu pescar o livro de maldades do meu arqui-inimigo e trazer direto para as nossas mãos. E o melhor: ninguém percebeu nada, já que todo mundo estava admirando o dragãozinho da minha irmã.

E foi assim que conseguimos pegar o caderno do Scorpio.

Depois de realizar o nosso plano com perfeição, fui comer um pratão de macarrão com queijo gratinado, que estava maravilhoso.

Já a melhor parte de todas, depois de a Rainha Noturna ter falado comigo, foi vê-la se apresentando.

Só que eu fiquei com um pouco de raiva por saber que ela

sabia da existência do meu arqui-inimigo e que ela estava na festa dele, mas ao mesmo tempo eu fiquei feliz em poder vê-la cantando pessoalmente e durante a apresentação ela até acenou para mim.

Há boatos de que desmaiei, mas passo bem.

Mas agora você deve estar se perguntando: se deu tudo mais do que certo, como é que no momento estou toda coberta de chocolate e caramelo?

E, bom, foi assim: depois da apresentação da Rainha Noturna, eu, a Lila e a minha irmã estávamos superfelizes e fomos brincar em um escorregador no quintal que descia na piscina de bolinhas.

Só que eu não sei se o Scorpio me reconheceu (o que seria bem difícil) ou ele é só malvado mesmo (resposta certa), porque eis que na hora que eu fui escorregar, ele virou o escorredor sei lá como, e em vez de eu parar na piscina de bolinhas, parei direto na fonte de chocolate e caramelo.

Então fiquei ali, toda coberta de chocolate e caramelo, enquanto o Scorpio, os amigos dele e a minha irmã riam da minha cara. A Lila tentava me ajudar a ficar em pé, mas chocolate e caramelo são muito grudentos, então foi bem difícil me levantar.

⋅◦⋅❀⋅◦⋅

E foi assim que a festa do Scorpio foi mais legal do que eu poderia imaginar, com o nosso plano dando certo (ou pelo menos a maioria dele) e acabando comigo coberta de chocolate e caramelo — o que não foi tão legal, mas ter conhecido a Rainha Noturna compensou tudo.

Já sobre o caderno do Scorpio, ainda não li. Prometi para a Lila que ia esperar até segunda para lermos o caderno juntas, então logo volto com mais notícias.

## SEGUNDA, 30 DE MAIO

Querido Diário,

Nós lemos o caderno de maldades do Scorpio e ele é *mesmo* um caderno de maldades. Tudo bem, essa parte não me pegou de surpresa, porque eu já sabia que ele era mau, mas teve uma parte que me deixou muito chocada: o Scorpio *ama* a princesa Amora.

Que no caso sou eu.

*O Scorpio. Me. Ama.*

**EU QUANDO DESCOBRI ISSO:**

CARA DE ULTRAMEGA HIPERNOJO

Eu preciso explicar isso direito.

Quando cheguei na escola de manhã cedinho, a Lila já estava me esperando no nosso esconderijo secreto debaixo da escada abandonada, para lermos todos os segredos do Scorpio, depois de passarmos o fim de semana todo morrendo de curiosidade.

No caderno dele encontramos algumas páginas que envolviam poções para colar na prova, planos maléficos de como sabotar os trabalhos da Florentina (que é como o Scorpio me conhece) e uma página inteirinha de presentes favoritos da Bruxonilda para continuar sendo o favorito dela.

E foi a página seguinte que quase me fez cair *estalactítica* no chão. Eu tive que tirar uma cópia dela para colocar aqui, porque olha só isso:

---

## Princesa Amorá
### TUDO QUE EU SEI SOBRE ELA

O nome completo dela é Princesa Amora Maria Florentina de Florentia. Tem doze anos, como eu.

Ninguém nunca viu a princesa, nem conhece o seu rosto, mas uma história diz que ela não tem poderes. Então ela deve estudar na Escola Preparatória para Pessoas Não Mágicas, na mesma sala que eu.

Pessoas da minha sala que podem ser a princesa:

Flora - Grandes chances, delicada e fofa

Lila - Linda como uma princesa, mas é filha do Doutor Epimênides que todo mundo conhece

Florentina - De jeito nenhum, jamais, nunca, nem em sonho

Também há teorias da conspiração pelo reino de que a princesa na verdade não existe e essa é uma invenção de Florentia. Teoria totalmente sem sentido.

Ela tem uma irmã mais nova chamada Olivia, todo mundo conhece seu rosto, e que estuda na Escola de Magia de Florentia.

Pois é. E eu quase vomitei *de verdade* depois de ter lido essa página sobre mim… Ou talvez seja porque eu não posso beber leite e eu tinha tomado um copão de leite-glacial com chocolate no café da manhã.

Não sei, mas o que eu sei é que meu estômago está embrulhado até agora e que o Scorpio gosta de mim. E muito.

Só que imagina só a cara dele se ele descobrisse que a Florentina que ele tanto odeia na verdade é a princesa Amora que ele tanto ama?

MINHA VIDA É UMA MENTIRA!!!

Mas, calma, que ainda não acabou, porque nas páginas seguintes nós descobrimos o futuro plano de maldade do Scorpio e foi por isso que pegamos o caderninho dele.

O próximo objetivo dele era apresentar uma criação estranha no concurso de talentos no Festival Outonal. Ele queria ganhar só para aparecer nos jornais e ser ainda mais popular.

O que, claro, eu e a Lila não íamos deixar de jeito nenhum. Então abram alas para o nosso novo objetivo:

# GANHAR O CONCURSO DE TALENTOS NO FESTIVAL OUTONAL DE FLORENTIA

Não sei se você sabe, mas o Festival Outonal de Florentia é a melhor festa de todo o reino! Nós temos várias festas legais, inclusive uma delas (a Festa Solar) está chegando, mas no Festival Outonal é onde tem as melhores comidas de todas.

Para você ter ideia, algumas até superam a torta de maçã-alada caramelizada da minha mãe. (Mãe, se você estiver lendo isso, é mentira. Mas, primeiro de tudo, você nem deveria estar lendo meu diário, então pare agora mesmo!!!)

Mas o Festival Outonal tem muitas coisas legais, como por exemplo: jogos divertidos, concursos, muitas comidas gostosas, shows, barracas vendendo coisas diferentes e únicas e... Já falei que tem comida gostosa?

Resumindo, é um baita festival, muito lindo e feliz, e todo mundo vem para o centro do reino para comemorar.

Então nosso plano é:

Uma de nós duas ganhar o Concurso de Talentos ⟶ Aparecer nos jornais e revistas ⟶ Virar as mais populares da escola ⟶ Chutar o Scorpio do topo do ranking da popularidade ⟶ Rir da cara dele ⟶ e depois comer uma banana split ultramegacaramelizada.

Só que para ganhar o Concurso de Talentos, primeiro de tudo, a gente precisava encontrar um talento, então nós testamos de tudo!

Primeiro, eu tentei dançar balé, mas a minha perna parecia ter vida própria, então ela ia para uma direção e o meu braço para outra.

NEM TODA
PRINCESA É
GRACIOSA

E EU
POSSO
PROVAR

Depois, a Lila teve a ideia de recitar um poema que foi mais ou menos assim:

ROSAS SÃO VERMELHAS
E EU NÃO GOSTO DE LIMÃO, CHOREI
PORQUE ABRI O POTE DE SORVETE
E DENTRO SÓ TINHA FEIJÃO

Um poema lindo, que me deixou emocionada e que me definiu mais do que tudo, porém a gente precisava de algo a mais.

Até que a Lila teve a melhor ideia: e se ela se apresentasse com alguns animais bem perigosos que o pai dela cuida? Seria incrível demais e todo mundo ficaria surpreso!

Então a Lila vai tentar treinar alguns animais bem perigosos para fazer uns truques fofos e, se ela conseguir, *com certeza*, a gente vai ganhar do Scorpio. E com certeza ela vai conseguir, porque a Lila é incrível!

Já sobre o meu talento… Bom, eu nem sei por onde começar. Nunca senti que fosse boa em alguma coisa, tirando desenhar e escrever abobrinhas, então preciso procurar algo interessante.

Agora a melhor notícia de todas: neste fim de semana eu vou à casa da Lila, para ajudá-la a praticar com os animais que o pai dela cuida, e ela pediu para eu levar o dragão-estrela-nebulosa da Olivia para o pai dela ver.

**Aliás, falando no dragãozinho da minha irmã:** ele é impossível! Nada o faz parar quieto e o quarto da minha irmã está completamente aos pedaços. E toda hora que a gente pergunta onde é que ela conseguiu um dragão, ela só responde a mesma coisa:

> ELE APARECEU NA MINHA JANELA!

ACHO QUE ESSE DRAGÃO ME ODEIA

Mas o que importa é que eu finalmente vou conhecer a casa da Lila e eu estou muito empolgada com isso.

Agora tenho que ir, porque preciso pensar em uma roupa para ir na casa dela. A Lila disse que os boitatás não gostam de roupas vermelhas, só que os dragões-libélulas amam, mas odeiam roupas amarelas, porém os unicórnios amam roupas amarelas.

Então preciso escolher uma roupa que agrade todo mundo, acho que não vai ser fácil.

## SÁBADO, 4 DE JUNHO

Querido Diário,

O dia começou ótimo e terminou péssimo, mas acho que você já se acostumou que todos os meus dias terminam com derrotas, né?

Então deixa eu começar pela parte boa antes que fique triste de novo. Porque conheci a casa da Lila e a casa dela é o lugar mais magicamente único que já vi em toda a minha vida!

Começando pelo fato de que a casa fica no campo mais florido de todo o reino, coberto por lírios lilases superperfumados e onde moram vários dragões-libélulas.

**Dragões-libélulas são dragões pequeninhos, fofos e tímidos, com asas bem finas e cintilantes.**

**ODEIAM:** pessoas e cheiro de pum

*Lila*

Sério, nunca vi um campo tão florido assim antes e a Lila disse que é por causa dos dragões-libélulas. Eles sempre deixam as flores bem lindas durante todo o ano para agradar a Lila, já que esses bichinhos a adoram.

Porém, como os dragões-libélulas são muito tímidos, quando cheguei, eles se esconderam dentro das flores e eu acabei não conseguindo ver nenhum deles.

Depois de passar por aquele jardim lindo, nós chegamos até a porta da casa da Lila, que simplesmente começa dentro de uma árvore-cogumelo gigante!

A porta fica bem no tronco da árvore, com uma madeira na cor lilás e, cheia de entalhes ondulados e pedras preciosas. Era a porta mais linda que eu já tinha visto na minha vida todinha, porém, quando a Lila a abriu as coisas ficaram ainda mais mágicas.

Do lado de dentro tinha uma sala enorme e mágica, com poltronas coloridas no formato de tulipas, um tapete bordado à mão com flores e cogumelos e várias plantas espalhadas pelos cantos. Já as paredes, estavam cheias de prateleiras com livros, frascos de venenos de animais mágicos perigosos, potinhos de ervas curativas e mais e mais frascos de poções.

Ali dentro tinha um cheiro muito gostoso de cereja e avelãs, parecia como se uma torta tivesse acabado de sair do forno, o que fez a minha barriga roncar alto e a Lila rir.

— Esse cheiro é dos lagartos-panquecas, eles são bem cheirosos tipo panquecas com calda e frutas — Lila me explicou. — Eles adoram ficar escondidos aqui dentro de casa e procurar por mel, é a coisa favorita deles no mundo.

O que me fez lembrar do primeiro bilhetinho que a Lila me deu, o que deixou meu coração quentinho e feliz.

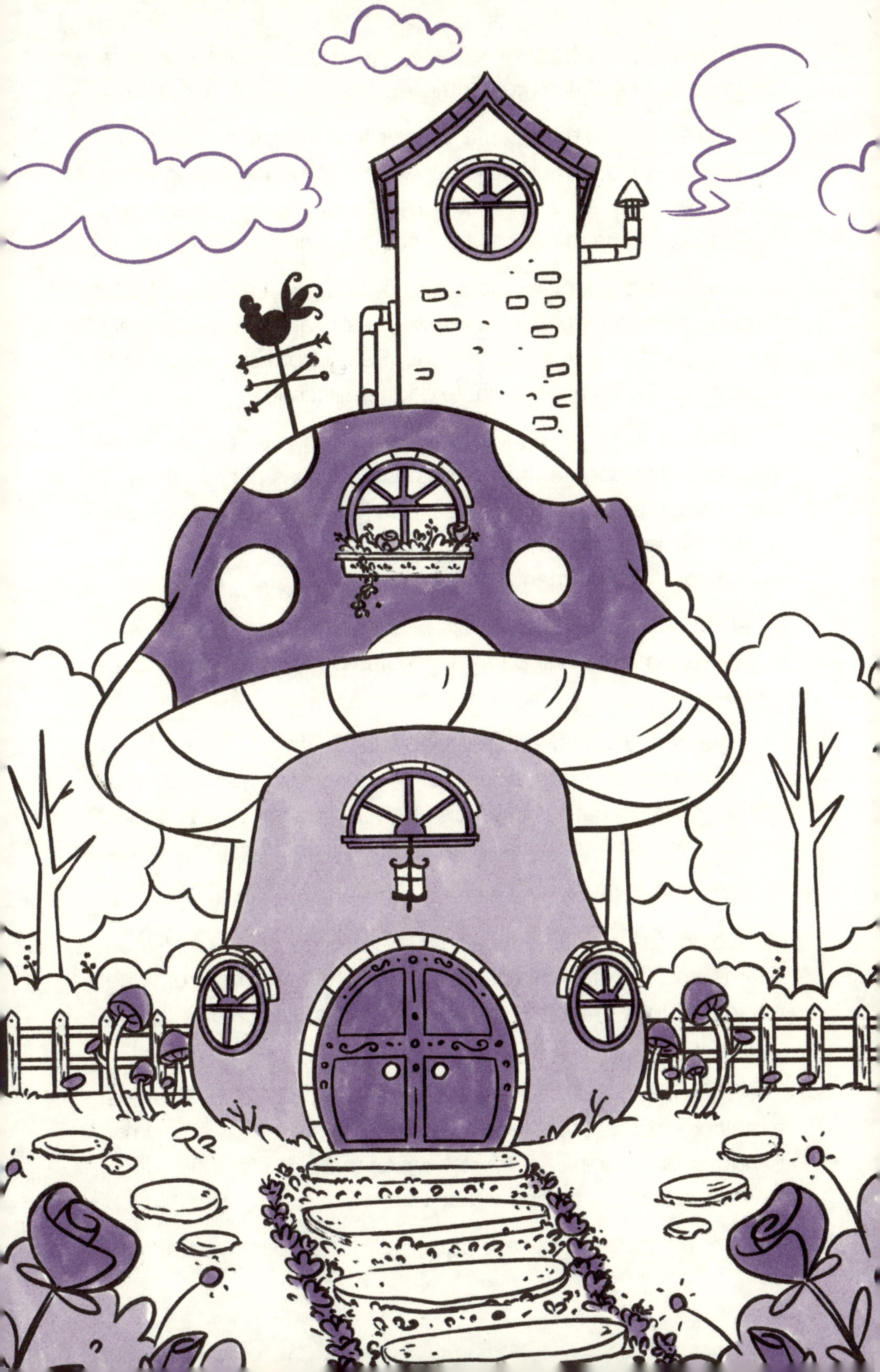

Depois disso, nós subimos a escada, e ali eu descobri uma coisa que a Lila nunca me contou: ela tem um irmão mais velho!

— Ali é o quarto do Leo, ele nunca sai de lá, só fica estudando, só sai pra ver o namorado dele e ele não brinca comigo, um chato. Vem, deixa eu te mostrar o meu quarto! — disse a Lila, pegando a minha mão e me puxando até o quarto dela.

Eu queria perguntar mais sobre o irmão da Lila, no entanto no próximo segundo a Lila já estava me puxando e, quando, ela abriu a porta, me esqueci de tudo. Se eu pudesse imaginar o quarto da Lila, seria exatamente daquele jeitinho.

Tinha de tudo um pouco: plantas em todos os cantos, quadros pintados por ela e tintas pelo chão, várias pilhas de livros espalhadas, pôsteres de animais mágicos pelas paredes e até uma enorme estátua de dragão no canto do quarto — e o bichinho cuspia fogo de mentira vez ou outra.

Ali no quarto, a gente ficou pensando em quais animais perigosos ela poderia levar para o Concurso de Talentos do Festival Outonal.

A gente não queria assustar todo mundo, então era uma tarefa muito difícil pensar num animal perigoso, mas que não fosse tão perigoso. E ficava ainda mais difícil porque em todas opções a minha irmã se intrometia e falava que era uma péssima ideia.

*Sim*, a Olivia foi comigo na casa da minha melhor amiga.

Isso porque ela não queria ficar sozinha em casa à tarde toda e também Olivia não quis deixar eu levar o dragãozinho sem que ela fosse junto. Então ela foi comigo para o dia ficar um pouco menos legal.

Mesmo com a Olivia atrapalhando, no meio do papo tivemos a melhor ideia de todas: em vez de a Lila apresentar um animal perigoso, ela poderia apresentar um animal que Florentia nunca viu! Isso mesmo, os dragões-libélulas.

Só que a parte difícil seria convencê-los a aparecer em cima de um palco para centenas de pessoas, sendo que eles odeiam pessoas — mas temos tempo até lá.

Depois de conversar muito, nós descemos até o jardim da casa onde fica o enorme escritório-fazenda do pai da Lila e todos os animais de que ele cuida.

Ali na fazenda há vários animais incríveis que eu nunca tinha visto pessoalmente, porque eu não saio muito do castelo... Então quando a Lila me mostrou um boitatá, fiquei encantada e de queixo caído!

Eles são cobras gigantes cobertas de fogo e com vários olhos flamejantes, são criaturas poderosas, tão antigas quanto Florentia, e, enquanto eu os admirava, o pai da Lila chegou todo animado me abraçando. Porém, quando ele olhou para a Olivia, ficou chocado.

Sim, pois é, todo mundo conhece o rosto da Olivia. E é por isso que eu sempre tenho uma história na manga para quando temos que sair juntas:

— Doutor Epimênides, eu sou neta da confeiteira do castelo e moro por lá, e esses dias a Princesa Olivia encontrou um dragão-estrela-nebulosa, e a Lila disse para virmos aqui.

Uma história perfeita e que deixou o Doutor Epimênides todo animado em finalmente conhecer um dragão-estrela-nebulosa, mas antes ele tinha que descarregar a carroça de compras que ele tinha feito.

O Doutor Epimênides tinha acabado de voltar do Mercado Magical, trazendo na carroça sacos e mais sacos de comidas para os animais, com um monte de ovos curiosos que foram encontrados perdidos pelo reino.

**ELES ERAM MAIS OU MENOS ASSIM:**

Eu já tinha visto o doutor no *Programa do Tritão* e ele sempre usa um enorme par de óculos, que ocupa quase que todo o rosto dele junto aos xales e mais xales coloridos por cima dos ombros.

Diz ele que os xales coloridos são porque cada animal gosta de uma cor e detesta outra (como a Lila me explicou), e por isso ele tem vários diferentes para poder usar um com cada animal.

O que amei, porque foi exatamente a mesma ideia que eu tive para a minha roupa, só que no meu caso era um vestido que mudava de cor se eu apertasse um botãozinho na minha pulseira mágica.

O Doutor Epimênides adorou a minha ideia e ficou muito empolgado em finalmente conhecer um dragão-estrela-nebulosa, depois de anos e anos pesquisando e procurando por eles. Então ele nem acreditou quando a minha irmã abriu a mochila e o dragãozinho saiu dali voando pelo ar como sempre e brilhando como se fosse um céu estrelado.

Ele ficou com a boca aberta enquanto observava o dragãozinho quebrando tudo no escritório dele.

— Como isso é possível? É mesmo um estrela-nebulosa. — Foi tudo que o Doutor Epimênides conseguiu dizer.

Depois de se recompor, o doutor conseguiu capturar o dragãozinho com petiscos de carambola, que ele disse que é a comida favorita dos Estrelas-Nebulosas. E depois de fazer alguns exames no dragão, nós descobrimos que, na verdade, é uma dragoazinha.

E, então, o doutor virou para a minha irmã e perguntou:

— Qual vai ser o nome dela?

— Nebulosa — Olivia respondeu sem nem pensar.

E, aqui entre nós, esse é um nome péssimo. É tipo colocar o nome de uma girafa de... *Girafa*, não faz sentido nenhum e eu não consegui me segurar:

> VOCÊ SABE QUE ESSE NOME NÃO É NADA CRIATIVO, NÉ?

> AMORA TAMBÉM NÃO, E EU NÃO JOGO NA SUA CARA

Acredita que ela teve a coragem de dizer isso? Eu sei que o meu nome é de uma fruta supercomum e um dos nomes mais comuns do reino (por causa de mim mesma), mas é um nome fofo...

— Você sabe que foi nossa mãe que escolheu, né? — falei baixinho pro Doutor Epimênides não ouvir.

— E ela também escolheu o meu nome e ele é lindo, diferente do seu.

Sim, minha irmã é impossível e ela tem apenas oito anos. Repetindo: não quero nem ver quando ela tiver dez.

E no meio da nossa discussão, o Doutor Epimênides foi até a prateleira e pegou um livro velho, com a capa toda aos pedaços, porém eu consegui ler o título: *Os segredos perdidos dos dragões estrelas-nebulosas.*

Ali ele começou a contar a história e foi nessa hora que toda a minha vida pareceu uma mentira:

**R**eza a lenda que os três primeiros ovos dos **dragões-estrelas-nebulosas** caíram do céu como estrelas cadentes que vieram diretamente das galáxias.

Quando os três primeiros nasceram, não existia Florentia, nem flores venenosas, apenas um pequeno vilarejo escondido entre as montanhas que acolheu e cuidou dos dragões.

Poderosos e únicos, não demorou para a ganância tomar conta daqueles que moravam no vilarejo, fazendo com que todos quisessem ter seu próprio estrela-nebulosa. Assim, os dragões-estrela-nebulosas foram capturados, retirados dos ninhos ainda filhotes, apenas para satisfazer o desejo de humanos gananciosos.

Indignada com a situação, a rainha dos estrelas-nebulosas se transformou em **humana,** com longos cabelos roxos brilhantes, como nebulosas incandescentes. Naquele momento, com todo seu poder, a rainha amaldiçoou para sempre aquele vilarejo.

Pela ganância de todos, eles ficariam para sempre presos entre as montanhas, sem poder sair. E, para isso, ela rodeou aquelas terras com **flores venenosas**, azuis e brilhantes como estrelas na terra, assim como os estrelas-nebulosas. Aquelas flores seriam o registro eterno do mal que os humanos tinham feito àqueles dragões.

Os estrela-nebulosas foram embora e nunca mais foram vistos por nenhum ser humano, sendo as únicas criaturas imunes às flores de Florentia. A rainha, entretanto, ficou ali em sua forma humana, se tornando a **primeira rainha do reino.**

Assim, os verdadeiros herdeiros de Florentia são descendentes diretos da poderosa Rainha Estrela-Nebulosa e, por isso, eles têm únicos **cabelos roxos.**

E essa história fez a minha vida parecer mentira, porque eu nunca tinha ouvido falar dela antes. Na verdade, a história de Florentia que conhecemos e aprendemos no castelo e na escola é bem diferente: as flores sempre estiveram ali e só tivemos o azar de estar do lado de dentro.

Agora, sabendo dessa história e olhando para a bandeira de Florentia pendurada na minha parede, o nosso símbolo nunca fez tanto sentido.

As gotas caindo da lua, que eu sempre achei que eram gotas de água, hoje fizeram ainda mais sentido: são os três ovos dos estrelas-nebulosas que caíram do céu diretamente na terra.

Depois, a flor nascendo acima dos ovos, já que foi a Rainha dos Dragões colocou ao redor de nós.

Eu também sempre me perguntei porque a cor de Florentia é roxa, e não azul como as flores. Pela primeira vez, tudo fez sentido.

Mas... por que eu tenho cabelos roxos, se eu não sou uma verdadeira herdeira de Florentia? Depois eu te conto essa história, porque a minha cabeça já está cheia de histórias por hoje...

Ter descoberto tudo isso me fez pensar: *por que escondem a história do nosso reino? Por que inventaram uma mentira?*

E foi por isso que o dia mais feliz de todos se transformou em um dos dias mais tristes.

Agora eu estou aqui sentada, de frente à janela do meu quarto, abraçando a Poeirinha e olhando para as flores de Florentia brilhando no escuro da noite, enquanto me pergunto: *o que mais é mentira?*

## SEGUNDA, 13 DE JUNHO

Querido Diário,

Eu sumi por alguns dias, primeiro porque estava triste. Não vou mentir que passei toda essa semana pensando sobre essa mentira que contam sobre Florentia e sobre como ninguém fala a verdade.

E prometi para mim mesma que eu faria alguma coisa.

Que coisa? Ainda não sei e talvez até o fim de semana eu tenha me esquecido disso, mas no momento estou triste e brava.

Já a segunda coisa que me fez sumir é que a Lila está *cuidando* de um ovo.

ISSO MESMO, UM OVO

Semana passada quando eu fui na casa dela, o Doutor Epimênides estava com vários ovos curiosos que as autoridades tinham achado perdidos pelo reino. Como ele é o mais famoso no que faz, os ovos ficaram sob a responsabilidade dele.

Ao todo eram seis ovos, mas a Ultramáquina Chocante de Ovos do Doutor Epimênides só tinha espaço para cinco. Então, para ajudar o pai, a Lila pegou um ovo para cuidar, então ela está bem focada nisso.

E quando eu digo cuidar, é cuidar mesmo.

A Lila fica com o ovo para cima e para baixo enrolado em uma manta para manter o ovinho quente e se ela precisa ir ao banheiro, eu fico com ele. Amo ajudar a Lila, mas morro de medo desse ovo.

Toda hora que eu o seguro, sinto que ele vai se chocar bem na minha mão e de dentro vai brotar uma criatura querendo me morder.

Nem preciso dizer que isso virou piada na escola, né?

O Scorpio e seu bonde da maldade só ficam rindo da nossa cara, mas eu nem me importo, porque eles nem imaginam que nós temos um plano para tirar o Scorpio do topo da popularidade, já que vamos vencê-lo no Festival Outonal. Então que ria à vontade.

Porque é o que dizem: a fada que tilinta por último, tilinta melhor. **(Acho que é assim.)**

Só que a verdade é que ninguém faz ideia do que sejam esses ovos diferentes e curiosos.

Diz a Lila que o pai dela tem grandes esperanças de serem

ovos de dragões-estrelas-nebulosas que caíram na terra mais uma vez. Ele não dorme desde aquele dia, pesquisando nos livros por ovos e mais ovos, e, até agora, ele não encontrou nenhum que parecesse com os que está cuidando.

Pelo castelo também não se fala em outra coisa.

Minha mãe voa para cima e para baixo ouvindo as autoridades que encontraram os ovos, mas ninguém tem muitas respostas. Eles simplesmente brotaram do nada, em diferentes partes do reino.

Então esse é o grande mistério do momento.

Já sobre o caderno de maldades do Scorpio, acho que ele nem percebeu o sumiço. Semana passada, coloquei de volta dentro da mochila dele enquanto a Lila vigiava a porta da sala para que ninguém visse, então acredito que ele só pensou que não tinha procurado direito.

LILA E AMORA, AS SUPERESPIÃS!

A parte ruim de ter descoberto os segredos do Scorpio é que, agora, toda hora que olho para ele, só consigo me lembrar de que ele ama a Princesa Amora, enquanto ele nem imagina que *ela* sou *eu*.

E só de pensar nisso novamente minha barriga começa a doer e vem a vontade de vomitar. Então deixa eu voltar para o dia de hoje, antes que meu estômago revire de vez.

Depois da aula e depois de passar a manhã toda ouvindo a Lila falando para um ovo o quanto ele era fofo, voltei para casa e, mais uma vez, por lá não se falava de outra coisa além do bendito ovo.

Como eu disse: é o grande mistério do momento.

Então, como sou curiosa, comecei a fazer minhas próprias investigações e fiquei o dia todo ouvindo as conversas por trás das paredes. Já que, como você sabe, tenho muitas habilidades de espionagem.

E foi no estábulo de unicórnios que eu descobri uma das coisas mais curiosas. Uma vidente que mora nas florestas de Ninfeia fez uma profecia bem no dia em que o primeiro ovo foi encontrado e ela disse que:

## "INFORTÚNIOS RASTEJARÃO PELAS FOLHAS ÚMIDAS DE FLORENTIA QUANDO A SEGUNDA LUZ BRILHAR NO CÉU".

O que me deixou muito curiosa.

Será que os ovos serão o infortúnio? Ou eles vieram para nos ajudar com o infortúnio? E que "segunda luz" é essa?

Eu não sei e ainda não tenho resposta. Só sei que não consigo pensar em outra coisa que não seja isso e não vou parar até resolver esse mistério.

## QUINTA, 16 DE JUNHO

Oi, Diário,

Se prepara porque eu tenho a maior novidade de todas!

Hoje na escola tivemos a grande notícia de que mês que vem nós vamos para o Acampamento Floreios de Sol! UHUUUUL!

Eu sempre quis ir ao Acampamento Floreios de Sol, mas eles nunca convidavam a Escola Preparatória para Pessoas Não Mágicas (o que me deixava com muita raiva); esse será o primeiro ano em que nossa escola poderá ir.

EU E LILA QUANDO RECEBEMOS ESSA NOTÍCIA!

O Acampamento Floreios de Sol, como diz o nome, acontece todo ano nas férias solares e é um acampamento que une os melhores alunos das maiores escolas de Florentia para uma batalha mortal.

Brincadeira, não é mortal, mas é quase isso.

Porque no acampamento as escolas competem entre si, em várias provas radicais, para ver qual é a maior escola de todas de Florentia e levar o grande troféu para casa. Que não vale nada, mas vai ser ótimo ver as outras escolas chorando por terem perdido para a gente.

Se eu sou competitiva? Jamais.

Antigamente iam só os alunos da Escola de Magia de Florentia e os alunos do Instituto Sereias & Tritões. Então esse vai ser o primeiro ano em que a nossa escola vai participar, já que sempre fomos excluídos justamente por não termos poderes — que é o motivo mais revoltante de todos.

O melhor de tudo é que o Acampamento Floreios de Sol acontece na região de Ninfeia, que é uma das regiões mais lindas de toda Florentia e uma das minhas favoritas também.

É um lugar com muita natureza, cores, flores e cheiros maravilhosos. Lá também é onde a maioria das sereias de Florentia moram, já que em Ninfeia está localizada a maior cachoeira do reino, com um enorme e profundo lago onde as sereias e os tritões moram.

A segunda melhor coisa de todas: o acampamento vai durar uma semana e a gente vai dormir lá, ou seja, vou ficar com a Lila uma semana direto e a gente vai poder conversar muito sobre o mistérios dos ovos estranhos e tentar resolver esse enigma.

Mas a notícia ruim é que eu também vou passar uma semana direto com o Scorpio, o que não vai ser nada legal. Imagine acordar e dar de cara com todo o mau humor e maldade dele.

Segunda notícia ruim: a Olivia também vai.

# ACAMPAMENTO FLOREIOS DE SOL

**02 DE JULHO - NINFEIA, FLORENTIA**

AUTORIZADO POR FLORENTIA

*por* Duquesa Varola

**A MELHOR DIVERSÃO MÁGICA DAS SUAS FÉRIAS SOLARES!**

*(e não mágica)*

**COMPETIÇÕES DIVERTIDAS, CAÇAS AO TESOURO, HISTÓRIAS NA FOGUEIRA, DIVERSÃO E MUITO, MUITO MAIS!**

PARA MAIS INFORMAÇÕES E INSCRIÇÕES, CONSULTE O ESTANDE NA PRAÇA CENTRAL

Na verdade, ela já ia todos os anos, já que ela estuda na Escola de Magia. Então além de ter que aturar o Scorpio por uma semana inteira, eu também não terei um descanso da minha irmãzinha.

Bom, eu tenho algumas semanas para planejar tudo para o acampamento. O que inclui as roupas mais legais, um plano de como vamos deixar o ovo da Lila protegido enquanto estivermos por lá e um plano caso as comidas do acampamento não sejam gostosas.

Eu perguntei para a Olivia e ela disse que a comida é feita por fadas-confeiteiras e é tudo muito gostoso. Mas você sabe, minha irmãzinha raramente fala a verdade, então com certeza ela deve estar brincando com a minha cara.

Só vou descobrir se a comida é boa mesmo quando chegar ao acampamento e meu plano caso não seja boa é: sentar e chorar.

Me deseje boa sorte, porque, como você sabe, eu sempre preciso.

# SEGUNDA, 20 DE JUNHO

Querido Diário,

Minha cabeça estava tão cheia de coisas sobre os ovos misteriosos e o acampamento que eu esqueci completamente que amanhã já é o dia da Festa Solar, uma das minhas festas favoritas!

Só perde para o Festival Outonal, então sim, a *Festa Solar* é incrível.

Só me lembrei disso hoje de manhã, quando eu fui à cozinha pegar algumas carambolas-amanteigadas e a Senhora Dulce estava planejando quais doces temáticos faria para a barraca dela na Festa Solar.

CARAMBOLAS-AMANTEIGADAS SÃO MUITO FOFAS (E GOSTOSAS) E A SENHORA DULCE SEMPRE FAZ PORQUE ELA SABE QUE EU AMO

Mas antes deixa eu explicar que festa é essa afinal!

Aqui em Florentia, durante todo o ano, nós temos quatro estações, nesta ordem: a Floral, a Solar, a Outonal e a Lunar.

A Floral é quando todas as flores de Florentia se abrem e todo reino fica muito colorido e perfumado. A Solar é a época mais quente do ano e a mais legal, porque temos as férias da escola. A Outonal é quando as folhas das árvores caem, as chuvas começam e o frio chega aos pouquinhos. E, por fim, a Lunar, que se chama assim porque a lua fica no céu mais tempo que o sol, é uma época bem geladinha e é quando as flores venenosas brilham mais do que nunca.

E, bom, amanhã é o solstício solar, que é o dia em que a Estação Floral vai embora e a Solar começa. Além de ser o dia mais longo do ano todinho!

Então todo ano aqui em Florentia é feriado no dia do solstício solar e tem a Festa Solar, uma festa muito alegre e feliz, além de ter várias brincadeiras, uma fogueira bem colorida e, claro, comidas gostosas.

A maioria das comidas da Festa Solar é feita de milho e é muito gostosa (apesar de eu ter traumatizado com milho depois do dia em que a Olivia me transformou em uma galinha....).

Já sobre o dilema da Senhora Dulce, eu fiquei o café da manhã todo dando ideias para ela de doces que com certeza todo mundo ia amar e, no fim, eu combinei de ajudá-la na barraca amanhã.

Talvez você esteja se perguntando se ela sabe que eu sou a princesa e, sim, ela sabe. A Senhora Dulce é a única pessoa do castelo que sabe quem eu sou de verdade, porque desde que eu era bebê minha mãe confiou a ela esse segredo.

Isso porque eu precisava de um disfarce para morar no castelo sem levantar suspeitas, então a história é que sou neta da Senhora Dulce, e por isso, eu moro com ela no castelo.

E se eu pudesse escolher qualquer pessoa para saber meu segredo, também a escolheria, porque a Senhora Dulce é muito legal e eu amo ser a neta de mentirinha dela.

**SENHORA DULCE**

**A FOTO DO TRITÃO QUE ELA NEM IMAGINA QUE EU SEI QUE FICA ESCONDIDA NA COZINHA**

Então as pessoas que sabem do meu segredo, além da minha mãe e a Olivia, são: a Senhora Dulce, a Diretora Celestina e a Lila (e acho que o pai dela, por causa da história dos cabelos roxos).

Depois de passar o café da manhã todo com a Senhora Dulce, fui para a escola, e a Lila também já estava toda empolgada com a Festa Solar. Como ela morava no interior de Alpínia, que é um pouco longe do Centro de Florentia, Lila nunca tinha conseguido vir na festa, então esse vai ser o primeiro ano dela também.

Além disso, não se falava em outra coisa na escola e por Florentia: será que o Floreante Viajante apareceria esse ano?

Não sei se você sabe quem ele é, mas o Floreante Viajante é a pessoa mais interessante do reino, depois da Rainha Noturna, é claro. Ele é tão interessante porque ele é todo misterioso e tem uma loja bem misteriosa com coisas mais misteriosas ainda. Porém o maior mistério é que ninguém sabe nem onde nem quando ele vai aparecer.

O *Fofocas da Torre* vive tentando encontrá-lo e ele vive escapando!

Mas uma coisa que todo mundo em Florentia sabe é que a Festa Solar é a favorita dele e todo ano ele escolhe a pessoa mais legal da festa para dar um presente. Então todo mundo fica na esperança de se esbarrar no Floreante.

Eu e a Lila estamos muito empolgadas, a Festa Solar desse ano vai ser perfeita!

## TERÇA, 21 DE JUNHO — DE MANHÃ

Querido Diário,

Hoje acordei radiante e pensei: *por que não escrever já logo de manhã cedinho?* Então hoje eu já escovei os dentes, corri na cozinha para experimentar os doces da barraquinha da Senhora Dulce (que estão maravilhosos) e já até vesti a minha roupa de flor.

Uma coisa legal sobre a Festa Solar é que todo mundo usa roupa de flor, com um chapéu bem legal e quem quiser pode usar também uma saia de pétalas. É muito fofo e eu amo.

CHAPÉU ESTILOSO QUE EU USARIA O ANO TODO

ANEL INÚTIL, PORÉM LINDO

SAIA FOFA (EU COSTUREI UM BOLSO NELA PARA GUARDAR MINHAS COISAS)

Outra coisa legal é que cada barraquinha tem uma flor-tema, assim todas barraquinhas ficam decoradas com flores e a Festa Solar fica toda colorida e cheirosa. É lindo e muito, mas muito mágico, e a flor da barraquinha da Senhora Dulce esse ano é *hibisco*.

E falando na barraquinha dela, eu fiz até uns folhetos para espalhar pela festa, já, já te mostro.

Os doces dela, com certeza, vão ser um sucesso na festa! A Lila disse que vai ficar comigo na barraquinha e depois a gente vai poder brincar e se divertir em todas as coisas legais que tem pela *Festa Solar*.

A parte boa de ninguém conhecer o rosto da princesa e ninguém saber quem eu sou, é que eu posso ir para todos os festivais sem ter que colocar mil disfarces. A parte triste é que eu não ganho mimos e presentes igual à minha irmã, que todo mundo fica querendo agradar por ser a princesa.

Mas agora eu tenho que ir, porque a Senhora Dulce está me chamando para a gente começar a levar os doces ao festival.

Depois eu volto e te conto tudo.

# menu
## doces solares da Dulce

**BOLO SOLAR CROCANTE DE MILHO**
feito com o melhor milho de Florentia, este bolo vai aquecer seu coração
6€

**MAÇÃ-ALADA DO AMOR COM CHOCOLATE**
uma rara e deliciosa maçã-alada caramelizada, com recheio de chocolate
4€

**PAÇOCA FLORAL**
doce tradicional feito com amendoim-unicórnio, em um lindo formato de flor
1€

**CANJICA CREMOSA DA DULCE**
canjica com flores de hibisco açucaradas. Eleita a melhor sobremesa da Dulce no castelo!
4€

## TERÇA, 21 DE JUNHO – DE NOITE

Querido Diário,

Acabei de chegar da Festa Solar e minha barriga está tão cheia de tanto doce que eu acho que não vou querer ver doce tão cedo na minha vida de novo. Acho que só amanhã.

E outra coisa que eu não quero ver tão cedo: a cara malvada do Scorpio. Que eu não quero ver tão cedo *mesmo*, mas amanhã já vou estar vendo de novo. Infelizmente. Para minha grande tristeza.

Então, deixa eu te contar tudo que aconteceu na Festa Solar que foi muito legal, eu e a Lila nos divertimos muito, só que ao mesmo tempo foi a festa que mais aconteceu confusões.

Então vamos começar do começo:

Para ir à Festa Solar, minha mãe me deu 🌸50 florões, que é o nome das moedas aqui de Florentia. Então eu guardei toda feliz o meu saquinho de moedas no bolso da minha saia, peguei a Poeirinha e fui ajudar a Senhora Dulce a montar a barraquinha dela na Praça Central.

Decorei toda a barraquinha com flores de hibisco, enquanto a senhora Dulce colocava os doces à mostra de um jeito bem mágico que só ela consegue fazer e a Poeirinha ia comendo os farelos de doce que caíam pelo chão. Pela cor dela, amarelo bem radiante, a Poeirinha estava amando!

Estava tudo tão lindo que todo mundo que passasse na frente da nossa barraca não iria resistir de jeito nenhum.

Após uma tarde de muita diversão, a Festa Solar foi eleita um sucesso! Será que o Floreante apareceu? Entenda tudo que aconteceu este ano.

**Doces Solares da Dulce**

**SUCESSO NA FESTA!** A estudante Florentina e a confeiteira Dulce Limoeiro posam durante a preparação da barraca de doces, antes do evento

A Festa Solar é uma das festas mais aguardadas de Florentia e não é para menos: muita diversão, doces temáticos e dança são as marcas registradas do

De acordo com Dulce Limoeiro, o evento foi um sucesso de vendas e seus doces esgotaram em poucas horas! Com a ajuda das estudantes Florentina e Lila Flores, a barra-

### FOTO QUE PEGUEI NO JORNAL FLORIM

Enquanto arrumamos tudo, a Senhora Dulce me contou várias histórias legais de quando a minha mãe era criança. O que é muito estranho pensar que um dia a minha mãe foi criança, porque para mim ela sempre foi adulta, poderosa, rainha e fazedora de tortas gostosas.

Mas a verdade é que a minha mãe não nasceu uma princesa, muito menos imaginava que um dia se tornaria a rainha de Florentia.

— Eu me lembro da sua mãe pequenininha, correndo pela praça com uma roupa igual à sua. — Foi o que a Senhora Dulce disse. — Ela amava me ajudar na barraca também.

Mas antes que ela pudesse contar mais memórias, as pessoas

começaram a chegar na Festa Solar e em pouco tempo a barraca já estava lotada.

Eu ficava anotando os pedidos e distribuindo flores de hibisco, enquanto a Senhora Dulce servia os doces para os clientes.

Não demorou para os doces solares da Dulce virarem o assunto da festa e quando a Lila chegou, a gente estava em apuros com uma fila imensa de pessoas querendo comer o bolo solar crocante de milho.

Então a Lila começou a nos ajudar, o que foi muito divertido, só que do nada... Todo mundo que estava na fila da barraquinha sumiu e ninguém mais queria comprar os nossos doces. O que eu achei muito estranho, porque alguns minutos antes todo mundo estava amando os doces e o bolo solar já estava até sendo escolhido como o favorito da festa.

E até a Poeirinha sentiu que algo estava estranho, porque de repente ela, que estava toda amarela, bem radiante, ficou vermelha e começou a soltar sons muito, mas muito bravos.

Então eu a peguei no colo, pedi licença para a Senhora Dulce, e eu e Lila começamos a nossa investigação.

Como duas espiãs, fomos até a fila de uma das barraquinhas ao lado e ali conseguimos ouvir duas fadas adolescentes conversando:

— Você viu o que aquele menino encontrou dentro do bolo daquela barraca? Que nojo! — Foi o que uma delas disse.

— Eu é que não compro nada de lá — a outra respondeu.

Depois nós fomos até o outro lado da praça, onde vimos um ogro encostado na parede, como se estivesse passando mal e dizendo:

— Aquele bolo solar estava gostoso, mas depois do que acharam... Eu quero vomitar.

O que eu sabia que era puro drama, porque não tinha nada

de errado com os doces da Senhora Dulce! E ele é um ogro, a gente sabe que ogro ama comer lesmas e se ele não vomita com lesmas, não era o doce dela que faria ele vomitar.

Então de repente, a Poeirinha, que já não estava se aguentando de raiva e estava vermelha como um pimentão-flamejante, pulou do meu colo e começou a correr entre as pessoas na festa.

Não tivemos outra escolha a não ser seguir a Poeirinha, que corria sem rumo entre os pés das pessoas, até que ela parou, rosnando, em frente a um menino com dois amigos.

Scorpio e os seus capangas da maldade.

Ali, não acreditei no que vi: Scorpio estava com um monte de aranhas de mentira na mão e as colocando dentro de alguns dos bolos da barraquinha.

E isso me fez ferver de raiva! Tudo bem ele mexer comigo, mas eu não ia deixar que ele mexesse com a Senhora Dulce nem com os doces dela de jeito nenhum!

EU E A POEIRINHA MORRENDO DE ÓDIO!

A minha vontade (e da Poeirinha) era de voar na fuça do Scorpio, mas foi a Lila que nos acalmou dizendo:

— A vingança é mais divertida quando se joga mel na sopa. Foi o que um dragão-libélula me disse essa semana.

E a Lila e os dragões-libélulas são mesmo muito sábios, porque isso fez muito sentido. A vingança é mais divertida quando a gente responde a maldade com coisas boas.

(Apesar de eu ainda querer voar na fuça do Scorpio.)

Então ali estava eu, jogando mel na sopa.

Como ele tinha inventado a grande mentira de que os doces da Senhora Dulce estavam cheios de aranhas, tive a brilhante ideia de usar isso ao nosso favor e criei este folheto:

> ~~TORNEIO~~
> **DOCES SOLARES da DULCE**
>
> ENCONTRE A ARANHA-AÇUCARADA DENTRO DOS NOSSOS DOCES E GANHE TODOS OS DOCES QUE VOCÊ QUISER!
>
> *PROIBIDA A PARTICIPAÇÃO SE SEU NOME FOR SCORPIO

Assim, não demorou para todo mundo querer comprar de novo os doces da Dulce só para tentar achar a aranha-açucarada e todos começaram a pensar que a aranha que o Scorpio tinha achado era uma aranha de doce. Você tinha que ver a cara dele!

E, sim, a vingança é muito mais divertida quando se joga mel na sopa.

Enquanto isso, a Senhora Dulce conseguiu fazer uma aranha de açúcar e a escondemos dentro de um potinho de canjica cremosa. Quem encontrou foi um garotinho muito gentil e simpático, que ficou todo feliz em ganhar todos os doces que ele escolheu.

O NOME DELE É ARTHUR

E ELE É DA SALA DA OLIVIA NA ESCOLA DE MAGIA

Assim, a primeira confusão do dia foi resolvida, e os doces da Dulce acabaram em apenas duas horas de festa. Ela ficou tão feliz que deu alguns florões para mim, para Lila e até para a Poeirinha para a gente aproveitar mais a Festa Solar.

E, bom, como eu tinha lido na *Revista Fadas* dicas bem legais do que fazer na Festa Solar, tinha um plano perfeito de todas as diversões que eu ia apresentar para a Lila!

    Nossa primeira parada foi na barraquinha Boca do Dragão, onde a gente tinha que jogar bolinhas dentro da boca de um dragão desenhado na parede! Eu fui um desastre, como sempre, mas a Lila arrasou e conseguiu ganhar uma pelúcia fofa de dragão-milho.

ISSO FOI TÃO FOFO QUE EU TIVE QUE DESENHAR

    Assim fomos nos divertindo em várias barraquinhas e jogos, enquanto, vez ou outra, eu parava para comprar alguma coisa interessante que via. A Festa Solar é cheia de barraquinhas de doces e jogos, mas também tem várias outras coisas legais.

    E as coisas mais legais que eu comprei foram:

**BARRACA NARCISO DO SEU CÍCERO**
UM PAR DE BRINCOS DE MILHO (ESTILOSO DEMAIS)
5€

**BARRACA GIRASSOL DA FADA MARISOL**
UMA POÇÃO ALADA (QUE TE DÁ ASAS DE FADAS POR QUINZE MINUTOS)
10€

10€
**BARRACA CALÊNDULA DA SEREIA YARA**
UMA BLUSA ESCRITA "SÓ VIM PRA COMER" (NÃO MENTIU)

**BARRACA MELISSA DA FERREIRA RAÍSSA**
UM BINÓCULO DE JADE COM SOM (PARA ESPIONAR TUDO NO ACAMPAMENTO)
15€

    A Lila também comprou coisas muito legais e fofas, incluindo uma roupinha e um gorro de crochê em formato de flor para o ovo dela (que na verdade era para um botijão de gás, mas também dá pra usar no ovo).

    Depois que eu e a Lila fizemos todas essas compras muito legais e a Poeirinha quis gastar todas as suas moedas em doces (juro que não foi comigo que ela aprendeu isso), nossa última parada foi na praça, para dançar junto a todo mundo que estava dançando ao redor da fogueira colorida.

A música da Festa Solar é supercontagiante e é impossível não ficar sem dançar. De longe, eu podia ver o Scorpio apontando para a gente e rindo, porque você sabe, não sou uma boa dançarina, mas eu estava tão feliz com a Lila que nem me importei com isso.

Até que no meio da nossa dança, uma pessoa nos cutucou:

— Que graciopimposa amizade que eu não pude deixar de notar. Tomem aqui este presente!

E aí a pessoa, que estava com o rosto coberto por um gigante chapéu, colocou na minha mão e da Lila pulseirinhas. Quando fomos olhar para a pessoa de novo, ela já tinha sumido na multidão.

Porém o mais estranho vem agora, porque olha só como são as pulseiras:

Amora + Lila? Mas como a pessoa sabia os nossos nomes? Isso nos fez pensar que só podia ser mais uma pegadinha do Scorpio, mas… Como a pessoa sabia que o meu nome era Amora? O Scorpio não sabe disso… Até que eu e a Lila exclamamos juntas:

— O FLOREANTE VIAJANTE!

E isso nos deixou muito felizes, porque o Floreante tinha acabado de nos escolher como as pessoas mais legais da Festa Solar e não existe nada mais legal do que isso! Então, a Festa Solar que já estava incrível acabou de ficar ainda mais.

E bem no nosso momento de alegria, a elfa-fotógrafa Senhorita Antonieta apareceu e tirou fotos nossas. Olha que linda que ficou, a gente estava muito sorridente:

E foi assim a Festa Solar mais divertida de todas e a que mais teve confusão (e, sim, eu ainda quero voar na fuça do Scorpio).

Mas um segredo: tudo isso da Festa Solar me fez esquecer da mentira sobre Florentia, o mistério dos ovos e a terrível profecia.

Mal posso esperar para todas as coisas que nós vamos fazer no Acampamento e não precisar mais me preocupar com esses mistérios.

## SEGUNDA, 27 DE JUNHO

Querido Diário,

Eu tenho fofocas, das bem grandes.

Começando por fofocas dos outros reinos, porque acredita que acharam uma moça presa em uma torre? E ela estava presa por tanto e tanto tempo que o cabelo dela era enorme e um príncipe até conseguiu escalar a torre usando o cabelo (isso deve ter doído).

SITUAÇÃO NADA AGRADÁVEL

Tudo isso porque o pai da menina pegou *rabanetes* do quintal de uma bruxa malvada, acredita nisso? Se eu fosse presa em uma torre porque meu pai pegou *rabanetes* eu ia ficar muito brava.

## OPÇÕES MELHORES DE COISAS PARA PEGAR NO QUINTAL DE UMA BRUXA

### 1. CHOCOLATES     2. POÇÕES MÁGICAS
### 3. CALDEIRÕES     4. GRAMA

### tudo menos RABANETES

Cada dia eu entendo mais a minha mãe e o medo dela de as pessoas descobrirem que eu sou uma princesa.

E agora fofocas sobre Florentia: eu descobri mais coisas sobre os ovos misteriosos.

Lembra que eu comentei que uma vidente tinha previsto "infortúnios rastejando por Florentia"? Então, a minha mãe também descobriu sobre essa profecia e convidou a vidente aqui ao castelo para elas conversarem sobre isso.

Sempre que convidados vêm aqui em casa, sou proibida de sair do meu quarto. Mesmo que eu finja ser a neta da Senhora Dulce, minha mãe tem medo que as pessoas desconfiem que eu seja a princesa e que os boatos comecem pelo reino. Então quanto menos pessoas me encontrarem no castelo, melhor.

Eu sempre obedeço à minha mãe, só que eu estava tão curiosa que eu não ia ficar presa dentro do meu quarto o dia todo. Eu precisava ouvir aquela conversa.

Então peguei uma capa para esconder o meu rosto e entrei no buraco da parede que fica atrás da casa da Poeirinha, o que me fez parar direto no estábulo depois de andar bastante tempo no escuro.

A minha sorte é que o Senhor Jeremias só dorme e vê televisão, então consegui correr por todo o estábulo e pronto, eu estava livre no enorme pátio do castelo.

O pátio do castelo é como se fosse uma pequena cidade dentro dos muros, com pequenas ruas, cabanas dos funcionários do castelo e um lindo jardim perfumado. Aqui do lado de fora é lindo, porém eu raramente posso sair, porque minha mãe não deixa.

Então todas as vezes que isso acontece, eu aproveito ao máximo.

Aqui do lado de fora, mesmo ainda dentro dos muros, eu consigo sentir o cheiro de Florentia: um maravilhoso aroma de pão assando e baunilha pelo ar, um cheiro que não consigo sentir do lado de dentro das paredes grossas do castelo.

Só que o problema era que eu estava livre, *porém* do lado de *fora* do castelo, e eu precisava estar do lado de dentro para ouvir a fofoca.

E foi nesse momento, no meio da rua, que eu ouvi algo que nunca imaginaria ouvir naquele momento:

— Hoje de manhã, tive uma visão de que eu encontraria alguém com um capuz lilás fora do castelo e era meu dever ajudá-la a entrar.

Quando olhei na direção da voz, era alguém também de capuz e dentro da carruagem. Eu não conseguia ver o rosto da pessoa, mas ela disse que tinha tido uma visão e estava indo para o castelo, então ela só poderia ser a vidente da profecia.

Então, sem nem pensar duas vezes, entrei na carruagem.

Ali dentro, a vidente apenas olhava para a paisagem do lado de fora da janela, enquanto a minha vontade era de enchê-la de perguntas, mas eu me segurei.

Ela não podia saber que eu era a princesa, então eu apenas

fiquei quietinha olhando para a janela também, à medida que a carruagem avançava até o castelo.

Quando a carruagem parou, ela fez um sinal para que eu a seguisse, o que fiz de cabeça baixa, tentando me esconder dentro do capuz. Pelo canto do olho, vi ali na porta do castelo o Senhor Ambrósio, que é quem recebe os raros convidados por aqui.

Para não levantar suspeitas, a vidente me apresentou como ajudante dela e, assim, nós entramos no castelo. Ali dentro, antes da despedida, ela falou uma última coisa:

— Proteja o número seis.

E então ela saiu andando, sem mais explicações, o que me deixou muito confusa. Mas eu não tinha tempo a perder, então corri até a sala de reuniões.

A boa notícia de ser uma espiã na sua própria casa é que você conhece todos os cômodos secretos, e eu sabia que do lado de fora da sala de reuniões tinha um cômodo que dava para ouvir fofocas, então fui direto para ele.

Ali dentro, a minha mãe já esperava a vidente, com a postura séria de rainha, que ela raramente faz na minha frente.

Eu sabia que a minha mãe era a rainha de todo esse reino, mas o fato de ela ser a minha mãe faz com que eu quase sempre me esquecesse disso.

Rainha Stena de Florentia, a Inabalável.

Na minha cabeça, as histórias de como ela recebeu esse título são mais contos de fadas distantes do que sobre a minha própria mãe.

Mas antes que eu pudesse me lembrar dessas histórias, a vidente chegou na sala, e nesse momento eu comecei a escrever toda a conversa para eu não me esquecer de nada.

— Vossa Majestade — a vidente disse reverenciando a minha mãe, enquanto fazia o gesto para ela se sentar na cadeira à frente.

Eu não conseguia ver o rosto dela, já que ela estava de costas para mim, mas quando a vidente tirou a capa, percebi que ela tinha cabelos grisalhos e longos que quase tocavam o chão.

— É verdade o que dizem sobre a profecia? — Foi o que minha mãe perguntou.

— Sim, Majestade.

E nesse momento, de repente as luzes da sala se apagaram e um poder roxo começou a irradiar da vidente. Nas paredes, eu conseguia ver refletidas algumas formas, como se a profecia aparecesse diante dos meus olhos, mas as formas eram confusas demais e eu não conseguia entender nada.

Então, a vidente começou:

— Infortúnios rastejarão pelas folhas úmidas de Florentia quando a segunda luz brilhar no céu.

Fogo, água e um longo rastro de ruínas, enquanto a destruição retorna para a fonte. A grande mentira comandará o exército contra a grande verdade, porém tudo será em vão.

Assim a profecia acabou e o brilho roxo sumiu, com as formas pelas paredes.

Tudo que eu conseguia ver era a postura inabalável da minha mãe pela primeira vez estremecendo.

— Isso é tudo que você vê? — Foi o que minha mãe quis saber, sem deixar a vidente perceber que aquilo a afetou.

— O futuro é incerto e mutável, apenas o dito pela profecia está certo de se cumprir. Como da outra vez.

E essa fala da vidente me fez perceber que ela e a minha mãe já se conheciam... Mas que *outra vez* era essa?

— Acha que *ela* poderia fazer isso? — perguntou minha mãe.

— Sim, ela poderia.

— Obrigada, Wina — agradeceu a minha mãe enquanto se levantava.

E com isso a vidente foi embora e eu corri de volta para o meu quarto, para que ninguém percebesse meu sumiço.

Então agora eu tenho a profecia inteira para tentar desvendar, e também tenho o nome da vidente: Wina. Além de eu ter que descobrir quem é essa *"ela"* de quem as duas tanto têm medo.

Eu e Lila teríamos muito trabalho durante o acampamento.

# SEXTA, 1º DE JULHO

Querido Diário,

Eu estou oficialmente de férias!

**DANCINHA DE FÉRIAS** — **UHUUUUL**

(SIM, EU CONTINUO NÃO SABENDO DANÇAR)

Isso quer dizer que não terei mais a Bruxonilda me enchendo a paciência tentando tirar pontos de mim nas provas, nem terei que estudar as chatices de matemática e, o melhor de tudo: vou me divertir no Acampamento Floreios, que eu sempre quis conhecer e que já é amanhã!

Eu já arrumei a minha mochila com tudo que achei importante: coloquei as coisas que eu comprei na Festa Solar com roupas bem estilosas e, claro, uma caixa que eu planejei para proteger o ovo da Lila, com um grande e seguro cadeado com uma senha que só nós duas sabemos.

Tudo bem que não é tão seguro assim porque a gente descobriu graças às "pulanças" da Poeirinha que se você sacudir o cadeado para esquerda, esquerda, direita, cima, baixo, ele misteriosamente abre sem a senha — mas acho que só a gente sabe disso.

E você deve estar se perguntando: por que tanta coisa para proteger o ovo da Lila, né? E, bom, depois da conversa que a minha mãe teve com a vidente, estava certa de que os ovos seriam algo ruim, então ela pediu para que o Doutor Epimênides destruísse todos eles.

Eu só sei disso porque a Lila me contou, já que não houve nenhum pronunciamento sobre os ovos nem nada do tipo. Esse pedido deixou o pai da Lila muito triste, mas apesar de o Doutor Epimênides tentar, os ovos não se destruíram por nada.

Então isso fez com que os ovos tivessem que ser recolhidos e colocados em um local secreto nas torres do castelo, um lugar vigiado pela minha própria mãe.

Só que a Lila já estava muito apegada ao Onyx (nome que ela deu ao ovo) e não queria se afastar dele... Então, resumidamente, nós o escondemos, dissemos que ele rolou precipício abaixo e agora precisamos deixá-lo bem protegido.

Você deve estar pensando: *mas que princesa sem juízo, qual a lógica de proteger algo que com certeza é perigoso?*

Primeiro: fico triste de você pensar que eu não tenho juízo, e segundo: é por causa do que a vidente me disse:

# PROTEJA O NÚMERO SEIS.

Isso ficou ecoando na minha cabeça por vários dias sem fazer sentido algum, mas depois que eu descobri a ordem da minha mãe sobre destruir os ovos, eu entendi tudo: o número seis era o ovo número seis, que era justamente o que a Lila estava cuidando.

E eu deveria protegê-lo.

Se ele for mesmo algo ruim, não sei o que essa proteção pode significar, mas tenho esperanças de que ele será algo bom e, de alguma forma, a salvação para os "infortúnios" da profecia.

E agora eu preciso ir dormir, porque amanhã vou acordar cedo para pegar o ônibus e finalmente ir para as melhores férias de todas!

Amanhã terei muitas novidades para contar!

# SÁBADO, 2 DE JULHO

Querido Diário,

Neste momento estou deitada numa cama dura igual a uma pedra, que range só de eu respirar e com meu nariz cheio de poeira.

Então, sim, eu tenho *mesmo* muitas novidades para contar e tudo começou no ônibus. E já te adianto: o dia não começou nem foi nada fácil. Como sempre.

Isso porque a viagem entre o Centro de Florentia e a região de Ninfeia é bastante longa, então ficamos muito tempo no ônibus.

Que. Balançava. Demais.

Então não demorou para a minha barriga começar a girar, minha cabeça começar a doer e tudo que eu queria era vomitar. Para não vomitar na Lila, que estava do meu lado, nem na Poeirinha, que estava no meu colo, eu corri até o banheiro.

Só que adivinha? ELE ESTAVA OCUPADO.

CENA DESESPERADORA

A pior coisa do mundo é você querer ir ao banheiro e ele estar ocupado, porque parece que cada segundo de espera é um segundo a mais da sua morte se aproximando.

Ok, isso foi um pouco dramático, mas era como eu estava me sentindo naquela hora.

Depois de um minuto bem longo de espera, que mais pareceu um bilhão de anos, a pessoa que estava no banheiro saiu e... Era o Scorpio.

Você deve estar pensando: *que raiva, ele com certeza fez de propósito*, porque também pensei nisso, porém quando eu olhei para a cara dele nem consegui sentir raiva.

Porque ele também estava passando mal. Para você ter uma ideia, ele estava tão, mas tão mal, que nem tinha forças para ser malvado.

— Enjoo também?

Foi o que ele perguntou, e eu até tive que parar e processar cada uma das palavras da pergunta, porque... Ele estava mesmo me fazendo uma pergunta? E era uma pergunta inofensiva?

Só podia ser pegadinha.

Porém, antes que eu pudesse pensar em uma resposta à altura, o meu estômago deu uma girada estratosférica e eu tive que correr para o vaso sanitário, no qual eu deixei todo o meu café da manhã.

Nojento, eu sei, mas foi ainda mais nojento para o Scorpio, porque ele VIU TUDO, com todos os detalhes. Isso mesmo.

Se ele já me odiava antes, naquele momento eu tinha certeza de que ele passaria a me odiar ainda mais.

**SCORPIO ANTES DE ME VER VOMITAR**

MUITO MALVADO

**SCORPIO DEPOIS DE ME VER VOMITAR**

ULTRA-HIPERMEGAMAQUIAVÉLICO REI DA MALDADE

Só que, para a minha surpresa, ele não saiu rindo de mim nem espalhando para o ônibus todo que eu tinha vomitado. Na verdade, ele me entregou uma folhinha e disse:

— Mastiga isso, ajuda no enjoo, minha mãe que me deu.

Não pude deixar de pensar mais uma vez que era uma grande de uma pegadinha e que aquela folha, na verdade, ia deixar a minha língua ardendo e roxa, porém o próprio Scorpio pegou a mesma folha e começou a mastigar.

Eu não queria aceitar nada do Scorpio, porque eu ainda estava com muita raiva do que ele tinha feito com a Senhora Dulce na Festa Solar, mas era pegar a folhinha ou vomitar a viagem toda.

Então eu aceitei, mastiguei também e, de repente, minha barriga parou de querer competir com um carrossel. Naquele momento saiu da minha boca uma coisa que eu nunca imaginei dizer para o Scorpio: "Muito obrigada".

Depois disso, voltei correndo para o meu assento e contei para a Lila tudo que tinha acontecido. Ela não acreditou e até achou que eu estivesse tendo alucinações, mas ela percebeu que eu tinha na mão a mesma folhinha que estava na mão do Scorpio, então tinha acontecido mesmo, de verdade verdadeira.

O Scorpio tinha mesmo sido... bom.

A viagem mal tinha começado e já havia acontecido coisas que eu *nunquinha* poderia imaginar. Mas calma que está só começando.

Quando o ônibus finalmente estacionou na frente do acampamento, eu já estava bem melhor e quando olhei aquela vista linda, me esqueci totalmente que tinha passado mal. Naquele momento só conseguia pensar o quanto o Acampamento Floreios era ainda mais incrível do que eu poderia imaginar!

O acampamento é rodeado de flores muito perfumadas, uma cortesia de Ninfeia que é a região mais colorida e perfumada de todo o reino. Além disso, ao fundo do acampamento existe um lago cristalino, que brilhava com a luz do sol como se fosse um espelho e, para completar a vista, também havia pássaros voando e cantando lindas melodias pelo ar.

Outra coisa sobre o ar: tinha um cheiro maravilhoso de pudim de framboesas com baunilha e chocolate. Eu não resisti e tive que seguir aquele cheiro.

O aroma me levou direto ao refeitório, onde tinha uma cozinha a céu aberto com várias fadas-confeiteiras trabalhando nos seus caldeirões coloridos e enchendo o ar com aquele perfume maravilhoso.

Então, sim, a Olivia pela segunda vez não mentiu.

Aquele era um dos lugares mais maravilhosos que meus olhinhos já tinham visto, e a Poeirinha pensou a mesma coisa, porque no meu colo ela começou a brilhar toda feliz. Seria mesmo a melhor ferias de todas!

Já voltando para o pátio, percebi que as outras escolas tinham acabado de chegar também.

A primeira que meus olhos encontraram foi a Escola de Magia, com pessoas-mágicas soltando feitiços pelos ares, rindo e conversando. De longe, eu pude ver a Olivia ali no grupo, rodeada de várias amigas (deve ser ótimo quando sabem que você é uma princesa).

# ACAMPAMENTO FLOREIOS

E também tinha o pessoal do Instituto Sereias & Tritões, todos em suas formas humanas, que é a forma que eles adquirem quando não estão debaixo d'água. Diferentemente do pessoal da Escola de Magia, eles eram mais sérios, centrados e com uma cara bem competitiva.

Dava para perceber que as duas escolas já tinham raiva uma da outra, porque eles não se olhavam nem se cumprimentavam, e vez ou outra cochichavam algo sobre a outra escola.

E havia nós:

— As pessoas não mágicas chatas da escola mais chata de Florentia. — Foi o que eu ouvi uma sereia de cabelo rosa falando.

Aquilo me ferveu de raiva! Tudo bem, eu acho minha escola chata e a maioria das pessoas de lá são chatas mesmo, mas só eu posso chamar a minha escola de chata, aquela sereia cara de baiacu não tinha esse direito!

\*BAIACU: peixe MUITO VENENOSO, igual essa menina!

Mas antes que eu pudesse tirar satisfação com a sereia, uma moça veio até nós. Ela também era uma sereia, mas bem diferente da primeira ela veio até nós sorrindo e animada, o que já me fez gostar dela logo de cara.

# SENHORITA YARA

## MONITORA DO ACAMPAMENTO FLOREIOS

MINHA CARA QUANDO A VI PELA PRIMEIRA VEZ

CABELO VERDE ESTILOSO

SEREIA SUPERLEGAL

A MELHOR MONITORA DE TODAS

A Senhorita Yara, então, nos contou toda animada que ela seria a nossa monitora aqui no Acampamento Floreios e faria de tudo para ganharmos o troféu deste ano.

Eu já estava encantada, mas ela me conquistou de vez quando disse o seguinte:

— Mas antes de conhecer nosso dormitório, vamos almoçar porque tem uma torta de batata gratinada maravilhosa esperando por vocês no refeitório!

Ou seja, eu amei ela!

Ali no refeitório, que eu já tinha dado uma espiadinha, nos sentamos em uma comprida mesa ao ar livre, enquanto as fadas-confeiteiras faziam os pratos de comida aparecerem na nossa frente.

A torta estava mesmo maravilhosa, e de sobremesa finalmente comemos o pudim de framboesas com baunilha e chocolate. Eu já estava sonhando com ele!

Naquele momento, comendo o meu pudim, comecei a observar as pessoas se divertindo ao meu redor. Do outro lado do refeitório, eu podia ver a Olivia conversando toda sorridente com o Arthur, o garoto fofo da Festa Solar (e eu nunca vi a Olivia tão sorridente). Também notei a Flora, nossa colega de sala, brincando de pega-pega com umas fadas criancinhas e até mesmo o Scorpio sorrindo animado.

Vendo tudo isso, eu só conseguia imaginar o quanto aquelas férias seriam as mais incríveis de todas!

Só que mais uma vez: onde é que eu estava com a cabeça em imaginar que as coisas seriam fáceis?

Depois do almoço, a Senhorita Yara nos explicou que cada escola ficaria separada em um dormitório e ela começou a nos guiar até o nosso, mas percebi que quanto mais andávamos, mais nos afastávamos de todo o agito do Acampamento e mais nos enfiávamos dentro da floresta.

No começo estava legal, vendo a paisagem, rindo dos esquilocórnios subindo nas árvores, mas depois de trinta minutos eu já não aguentava mais andar.

Após mais longos minutos de caminhada, que deixou meus pés com muitas bolhas e minha boca seca de sede, o nosso dormitório estava na nossa frente.

E ele era bem estranho.

Por fora ele parecia abandonado e por dentro parecia que a gente estava do lado de fora: era velho, empoeirado e com um cheiro forte de mofo, o que fez todo mundo começar a espirrar, incluindo eu.

A Poeirinha logo pulou do meu colo e começou a soltar uns sons para o vazio, possivelmente conversando com outras poeiras-tilintantes que estavam ali. Com certeza haviam várias!

Em meio ao som de espirros e tosses, e a conversa invisível da Poeirinha, a Senhorita Yara estava olhando para toda aquela sujeira sem acreditar.

— Um segundo, crianças. — Foi o que ela disse, enquanto saía apressada do dormitório, nos deixando sozinhos.

Naquele momento todo mundo já estava triste, com o nariz coçando de tanto espirrar, e até o Scorpio, que eu nunca vi abalado, estava sentado no canto com a cabeça baixa e pensando na vida.

Eu e a Lila tentamos nos distrair conversando sobre o Onyx, que estava muito bem escondido na caixa dentro da bolsa dela, mas mesmo assim a gente não conseguia pensar em outra coisa a não ser: *as férias seriam um grande e horrível desastre.*

Porém, de repente, a Poeirinha parou a sua fofoca invisível e veio até nós duas, soltando vários barulhinhos.

> UE iELAF ARAP SA SARTUO SARiEOP OÃN MERADOMOCNi SÊCOV, ED ADAN

**O QUE A POEIRINHA DISSE**

O que não entendemos nada, para a indignação da Poeirinha que ficou vermelha de raiva e foi para longe, resmungando alguma outra coisa sem sentido. Acho que era *"sadicedarga-lam"*.

Aposto que ela disse que queria mais pudim.

Depois de alguns minutos, a Senhorita Yara voltou tão triste quanto nós:

— Crianças, não há o que fazer, vamos ter que ficar aqui mesmo. — Ela parecia muito decepcionada. — Mas... prometo que esse vai ser o dormitório mais divertido de todos!

A animação da Senhorita Yara nos alegrou um pouco e todos começaram a escolher em qual cama iriam dormir.

Eu e a Lila escolhemos as duas camas mais afastadas, para que a gente pudesse fofocar sobre os ovos e a profecia sem que os outros ouvissem nossos segredos.

E não que eu me importe com isso, mas pela primeira vez percebi que o Scorpio estava sozinho. No Acampamento, só vieram as pessoas com as maiores notas da escola e tenho que dizer que os capangas da maldade do Scorpio não são lá muito estudiosos.

~~Será que eu deveria chamá-lo para lanchar com a gente?~~

Bem feito para ele.

Depois de todo mundo ter se acomodado, a Senhorita Yara propôs um jogo de mímica, o que foi muito divertido, e morremos de rir durante todo o resto da tarde.

Você tinha que ver a Lila tentando fazer uma mímica para "Comi pizza de brócolis no café da tarde" ou Scorpio tentando a frase "A galinha-dinossauro roubou minha bicicleta". Foi muito divertido e até me esqueci que estava num lugar abandonado cheio de poeira.

E, bom, amanhã o acampamento começa de verdade e admito que estou um pouco com medo de tudo que ainda vai acontecer, porque não começamos nada bem. Mas agora eu preciso descansar já que amanhã oficialmente começam os torneios (mortais) entre as escolas.

# DOMINGO, 3 DE JULHO

Querido Diário,

Eu descobri o nome daquela sereia de cabelo rosa e metida que falou que nós éramos "as pessoas não mágicas chatas da escola mais chata".

O nome dela é *Coral*.

E como descobri isso? Quando ela me empurrou de cara na lama e saiu rindo com as outras amigas sereias dela. Então, no momento eu estou toda coberta de lama, enquanto espero o chuveiro do dormitório funcionar, e morrendo de raiva. Muita raiva.

Tudo começou hoje de manhã, quando finalmente foi anunciado o início do torneio entre as escolas.

Todos os alunos foram chamados ao pátio e ali nós conhecemos a Duquesa Vanora: a pessoa mais rica de Florentia, dona de várias lojas, fundadora do Acampamento Floreios e sereia.

(Preciso dizer que a escola das sereias é a favorita?)

Há boatos (sim, vi no *Fofocas da Torre*) de que ela se considera a rainha de Ninfeia e é mais rica do que qualquer rainha que já governou Florentia — o que eu não faço ideia se é verdade mesmo ou não.

A única coisa que eu faço ideia é que ela é uma chata!

# RAINHA DAS CHATAS

## E PESSOA MAIS RICA DA CHATOLÂNDIA

Ali ela nos explicou como funcionaria o torneio: cada escola seria um time e faríamos três provas. O time que vencesse mais desafios ganharia o torneio, e, caso houvesse empate, teríamos uma quarta prova para desempatar.

Então, o Instituto Sereias & Tritões é o time Alga e a Escola de Magia é o time Feitiço. E você deve estar pensando: *que legal, e qual é o nome do time de vocês, Amora?*

(Longa pausa dramática para eu respirar fundo e não surtar.)

O nosso time se chama *Time Paralelepípedo*. E, sim, que nome horrível é esse? Um nome chato para as pessoas chatas da escola chata? Era isso?

Eu só sei que eu já não estava indo com a cara de alga velha da Duquesa Vanora, depois disso é que eu não fui com a cara dela mesmo.

# OS SÍMBOLOS DOS TIMES

TÁ, DEPOIS DESSA EU TENHO CERTEZA DE QUE ODEIAM A GENTE. QUEM É QUE FEZ ESSE SÍMBOLO?!

Mas tudo bem, porque acredite se quiser, nessa hora eu ainda não estava no fundo do poço. Sim, ia piorar.

Eu e Lila estávamos lindíssimas usando nossa faixa de cabeça que eu tinha feito, escrito "não preciso de poderes", enquanto fazíamos polichinelos para aquecer.

Até que anunciaram como seria a primeira prova.

A primeira prova era um circuito com quatro etapas, em que quatro alunos de cada time participariam – cada aluno em uma das etapas.

A primeira etapa: correr até o outro lado segurando cinco bolinhas, sem deixar elas caírem – a Lila se voluntariou para essa etapa.

Segunda: acertar cinco bolinhas dentro de uma piscina de bolinhas – o Gabriel, que é muito bom de mira, foi escolhido para essa etapa (sei bem porque ele vive jogando bolinha de papel em mim).

Terceira: encontrar dez peças perdidas de um quebra-cabeça dentro da piscina de bolinhas e entregar para o próximo colega – o Scorpio, que é bom em enfiar o nariz onde não é chamado, ficou com essa etapa.

E quarta: atravessar uma ponte fininha rodeada de lama, sem cair e ainda levar as peças do quebra-cabeça em segurança para a linha de chegada – eu fui escolhida, porque, por alguma razão, pareço ser uma pessoa equilibrada. Deve ser porque até hoje não voei na fuça do Scorpio.

Então, foi dada a largada.

A Lila correu, pegou as bolinhas e começou a atravessar com todo cuidado, só que adivinha?

As outras escolas já tinham feito essa tarefa. Simplesmente teletransportando as bolinhas para o outro lado, em um passe de mágica, que nem deu tempo de eu piscar direito.

Isso me deixou com muita raiva, porque foi uma grande de uma injustiça! Não deviam permitir o uso de magia nas provas!

Já na segunda etapa, a minha raiva aumentou ainda mais, porque uma amiga da Olivia, da Escola de Magia, usou um feitiço de ultramira, ou seja, ela não errou nenhum arremesso. Enquanto um tritão da outra escola envolveu as bolinhas em bolhas de sabão e fez com que elas voassem perfeitamente até a piscina do outro lado.

E quando os outros times já estavam na última etapa, atravessando a ponte da lama, o Scorpio ainda procurava as peças do quebra-cabeça. Quando ele terminou, o Time Feitiço já tinha sido o vencedor.

Porém, a gente precisava terminar a tarefa e levar as peças do quebra-cabeça para o outro lado, então o Scorpio me entregou as pecinhas e eu me preparei para atravessar a ponte.

E ela era tão fina, mas tão fina, que não cabia nem o meu pé direito:

LAMA DE UM LADO

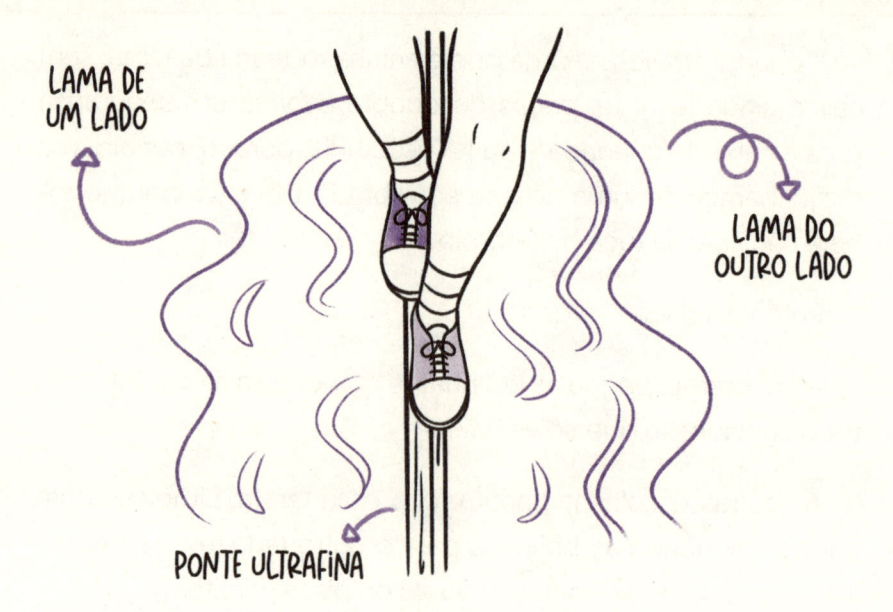

LAMA DO OUTRO LADO

PONTE ULTRAFINA

Enquanto isso, todas as outras escolas olhavam para mim já esperando a minha derrota e eu não queria dar esse gostinho para eles. Para você ter ideia, até o Scorpio estava torcendo por mim, então eu não ia cair naquela lama de jeito nenhum e eu estava indo superbem.

Até que a bendita da sereia Coral resolveu estragar tudo. Não satisfeita em ver a gente perdendo, em último lugar, ela ainda queria fazer isso ser uma grande humilhação.

Então ela, com seu poder de sereia malvada, fez a lama balançar, o que tremeu a ponte e me fez cair direto com a cara na lama.

Caída na lama, meus olhos cruzaram com os da Olivia e, apesar de ela não ser nada angelical, ela continuava sendo minha irmã e, no fundo, beeeem no fundo, eu sei que ela se importava comigo. Eu podia ver o quanto ela estava triste em não poder me ajudar ou falar para as pessoas pararem de rir de mim.

E um segredo, Diário: é nessas horas que eu fico triste de verdade.

Mas eu aprendi bem como engolir minha tristeza, então naquele momento eu a transformei em raiva.

Assim, tivemos muito ódio da minha parte, palavras bem raivosas da parte do Scorpio para os times inimigos e pedidos de calma por parte da Lila, enquanto a Senhorita Yara me segurava para que eu não fosse até a Coral e a enchesse de lama.

Então agora estou aqui na varanda do dormitório, coberta de lama, enquanto a Senhorita Yara tenta arrumar o chuveiro para ele esquentar a água.

Nem um dormitório com chuveiro que funcionasse eles deram para o nosso time.

Falei brincando que isso seria um torneio mortal, mas agora reforço o que eu disse e estou falando sério desta vez: vai ser mortal, sim, e eu vou fazer o que for possível para ganhar. Sim, eu sou vingativa.

Mas antes: preciso de um banho, parece que a Senhorita Yara conseguiu arrumar o chuveiro.

Diário, eu tomei banho e vesti a blusa que eu comprei na Festa Solar escrita "Eu só vim para comer" e adivinha? A Senhorita Yara viu e disse que foi ela quem fez essa blusa! Eu estava tão animada naquele dia que nem me lembrei do rosto dela.

Ela também me prometeu que ia pensar em um plano para nossa equipe vencer, e, como você sabe, eu amo planos, então estou animada.

# SEGUNDA, 4 DE JULHO

Querido Diário,

Lembra do quebra-cabeça que nós pegamos ontem na prova? Pois bem, ontem à noite, no tédio, o Scorpio resolveu montar as peças e aquilo era nada mais nada menos do que uma pista da futura prova, que vai acontecer na quarta-feira.

O QUEBRA-CABEÇA É ASSIM!

Então ficamos o café da manhã todo tentando descobrir o que significava isso. A Lila sugeriu que talvez a gente tivesse que encontrar um ovo de uma ave rara, enquanto a Flora sugeriu que talvez a gente tivesse que encontrar a árvore da figura.

Até que veio uma luz na minha mente: seria uma prova em que teríamos que escalar alguma coisa alta para pegar algo importante do topo!

Claro que seria mais uma prova injusta onde as sereias usariam os seus poderes para fazer uma escada de gelo e as pessoas mágicas apenas sairiam voando, mas dessa vez eu sabia exatamente o que fazer para estarmos à altura.

Então eu corri até a minha mochila, peguei a poção alada que comprei na Festa Solar e expliquei para todo mundo o que aquilo fazia. Aquela seria a nossa chance perfeita de ganhar a primeira prova do Acampamento.

O que fez todo mundo amar a ideia e sorrir para mim.

~~Até o Scorpio sorriu para mim.~~

O Scorpio também sorriu, mas aposto que foi de deboche.

Só que nós precisávamos de alguma pessoa que tivesse experiência em voar, já que as asas duravam apenas quinze minutos e não daria tempo de praticar. A Lila então disse que os dragões-libélulas sempre fazem ela voar pelos ares, então ela seria a pessoa perfeita para a nossa missão.

Como já sabíamos qual seria a segunda prova e já tínhamos o plano perfeito para vencer, isso nos deixava com tempo livre para diversão e foco nas nossas próprias coisas:

Desvendar o grande mistério dos ovos e a profecia.

Eu e Lila escrevemos em um papel a profecia e separamos parte por parte, na esperança de que, ao separar, aquilo começasse a fazer algum sentido.

Depois de muitos rabiscos e vários papéis amassados, chegamos à seguinte conclusão:

**ALGO RUIM QUE RASTEJA**

**VAI ESTAR CHOVENDO**

Infortúnios rastejarão pelas folhas úmidas de Florentia quando a segunda luz brilhar no céu.

**ALGO RUIM**

**ALGUMA ESTRELA CADENTE?**

~~~~~~~~

**MAIS UMA PISTA DA CHUVA**

**ISSO NÃO VAI ACABAR NADA BEM**

Fogo, água e um longo rastro de ruínas, enquanto o poder de destruição retorna para a fonte.
??

**SERPENTES QUE SOLTAM FOGO?**

Com tudo isso, nós pensamos em duas coisas: primeiro, a coisa ruim seria algo que rasteja, então isso nos fez pensar que o que vai nascer do ovo pode ser uma cobra ou algo do tipo.

E segundo, as folhas úmidas só podem significar que vai estar chovendo e o mês em que começam as chuvas aqui em Florentia é outubro.

Então eu e Lila falamos na mesma hora: *os ovos vão nascer em outubro!* E isso faz muito sentido.

Já sobre o poder de destruição e a parte final que fala sobre a grande mentira e a grande verdade, nós não conseguimos ter nenhuma ideia, mas o principal nós tínhamos descoberto: os ovos realmente eram algo ruim e iam trazer muita ruína para Florentia e tudo isso ia acontecer em um dia de chuva de outubro.

Isso deixou a Lila muito triste, quando ela percebeu que o Onyx também seria mal. Porém, também havia a profecia que somente nós sabíamos: deveríamos proteger o número seis.

O ovo da Lila deve ser a nossa única esperança.

Com todas essas novas descobertas, nós precisávamos fazer alguma coisa. A minha mãe precisava saber disso, de que os ovos se chocariam em outubro (o que talvez ela já tenha decifrado) e que o ovo da Lila é a única esperança (o que ela nem imagina).

Então, a Senhorita Yara nos arrumou um envelope mágico e eu escrevi uma carta-alada para a minha mãe contando todas essas novidades.

Agora tudo o que nos resta é esperar e torcer para que ela leia a carta.

## TERÇA, 5 DE JULHO

Querido Diário,

Ainda sem notícias da minha mãe. Tudo bem, eu sei que passou apenas um dia, mas será que ela não recebeu a carta? Ou pior, será que ela acha que é mais uma mentira minha?

Eu não sei, mas pelo menos hoje pude me distrair porque tivemos um dia livre de descanso e bem tranquilo, e fizemos várias atividades legais com a Senhorita Yara, incluindo pinturas. Olha só essa pintura que a Lila fez de mim cheirando uma flor:

A Senhorita Yara é superdivertida e ela parece gostar muito de mim, já que sempre está sorrindo em minha direção ou curiosa sobre o que estou aprontando ou escrevendo.

Mais cedo ela até disse que eu lembrava demais de quando ela era criança, porque ela também ficava com um diário para cima e para baixo. Quem me dera se eu tivesse uma professora legal assim na escola!

E, Diário, eu tenho um segredo: durante todo o dia, não pude deixar de reparar que o Scorpio estava sozinho, então para retribuir a folhinha antienjoo que ele me deu, eu o chamei para ele se divertir com a gente.

Certeza de que quando eu virar rainha meu nome vai ser:

## RAINHA AMORA DE FLORENTIA, A MISERICORDIOSA

Mas até que o Scorpio pode ser legal, às vezes... (Se ele por acaso descobrir que eu disse isso, vou negar para todo o sempre.)

Isso porque ele tinha levado um jogo bem divertido que está superfamoso atualmente aqui em Florentia, chamado Fungos & Fungadas.

Esse jogo tem várias cartas de comidas legais, comidas nojentas e algumas cartas de fungos venenosos. Então, quando é a vez de um participante, ele tem que vendar os olhos e, com uma carta na frente, dizer "como, fungo ou fungada".

"Como" quer dizer que a pessoa vai comer. "Fungada" significa que ela vai cheirar antes. E "Fungo" a pessoa diz quando acha que é algo venenoso.

Se comer e for algo gostoso, ganha duas moedas. Porém, se for algo nojento, ela perde a rodada. Já a fungada é o oposto, se a pessoa cheirar e for algo ruim, ganha duas moedas e se for bom, perde.

E se a pessoa comer ou fungar um fungo: ela está eliminada. A única forma de se salvar quando a carta de fungo aparece é dizendo que é um fungo, o que é muito difícil, porque tudo é na intuição.

Ganha quem completar vinte moedas primeiro, ou for a última pessoa a ser eliminada.

A Senhorita Yara, então, foi a chefe do jogo e nós ficamos com a barriga doendo de tanto rir, isso porque eu acabei comendo um cocô de unicórnio (sim, muito nojento) e o Scorpio comeu um jiló mofado em conserva (argh).

A Lila, que estava cheia de moedas e quase ganhando, acabou sendo eliminada após fungar um fungo jujuba-venenosa (que parecem ser mais gostosos do que venenosos).

O jogo terminou com o Scorpio sendo eliminado depois de fungar um fungo-barbudo, e eu ganhando as vinte moedas depois de acertar e comer uma deliciosa pizza de rapadura.

Apesar de estarmos nos divertindo muito e todo mundo estar com a barriga doendo de tanto rir, a Senhorita Yara nos colocou cedo na cama, porque era importante todo mundo ter uma ótima noite de sono.

Então agora estou aqui escrevendo, enquanto a Poeirinha não para de resmungar "etrevni, etrevni", que eu não faço a mínima ideia do que significa (e já falei para ela milhões de vezes isso).

Espero um dia entender o que a Poeirinha quer.

## QUARTA, 6 DE JULHO

Querido Diário,

No momento estou escrevendo isso em frente a uma grande fogueira enquanto nosso time comemora e come marshmallows assados, então você já deve imaginar: finalmente deu tudo certo!

DANCINHA DA VITÓRIA!

Hoje foi o dia da segunda prova do Acampamento e quando chegamos no pátio, a Escola de Magia estava superconfiante por ter ganhado a primeira etapa, enquanto as sereias e os tritões pareciam ainda mais concentrados e com caras ainda mais malvadas.

De longe eu consegui ver a Coral. Ela estava meio abalada e cheia de bolinhas vermelhas no corpo como se fosse uma alergia, e eu fiquei com o total de zero dó. Acho que ser malvada faz mal, viu.

Então eis que a Duquesa Vanora apareceu na nossa frente e começou a soltar uns poderes com as mãos, o que fez um véu de água cair diante dos nossos olhos e aparecer uma enorme árvore colorida na nossa frente, com um pergaminho no topo.

A prova seria exatamente como eu tinha imaginado: uma

pessoa do time deveria subir até o topo e pegar o pergaminho. Ou seja, essa vitória já seria nossa!

Antes de a Duquesa Vanora começar a contagem regressiva, a Lila tomou a poção e não demorou para asas lindas surgirem nas costas dela. Elas pareciam asas de dragões-libélulas, o que deixou a Lila muito encantada e feliz, porque, como você sabe, ela os ama demais.

Como os outros times não tinham montado o quebra-cabeça e não tinham se planejado, isso nos deu um tempinho de vantagem, então a Lila voou o mais rápido que ela conseguiu até o topo da árvore e antes que os outros times saíssem do chão, o pergaminho já estava nas nossas mãos.

ASAS LINDAS QUE A LILA AMOU

PERGAMINHO MISTERIOSO

Só que a Duquesa Vanora não cantou nossa vitória, então corremos para abrir o pergaminho, porque a resposta deveria estar ali dentro e o pergaminho dizia:

## "COLORIDO E DELICIOSO"

Eu já tinha visto antes, mas não conseguia lembrar onde, então na minha cabeça só ficou ecoando "colorido e delicioso, colorido e delicioso…", até que o Scorpio disse:

— Os caldeirões da cozinha!

Assim, a Lila foi voando até a cozinha bem rápido e em poucos segundos ela voltou segurando uma caixinha de música, com uma fada rodopiando no centro e, finalmente, a Duquesa Vanora exclamou (sem ânimo nem alegria):

— Vitória para o Time Paralelepípedo…

A falta de animação dela foi compensada pela Senhorita Yara, que saiu correndo e veio nos abraçar; todos nós estávamos muito felizes, pulando e rindo.

A melhor parte de todas foi olhar para o time Alga e ver a Coral e suas amigas tentando pensar em alguma magia envolvendo água que as ajudassem a chegar no topo do tronco.

Sério que ninguém ali pensou em fazer uma escada de gelo? Que falta de criatividade.

E, bom, eu não resisti quando a Coral olhou para a minha direção, porque eu virei para ela e disse:

Claro que isso a faria ser ainda mais malvada comigo, mas, sabe, tem algumas coisas que valem a pena.

Então voltamos para o nosso dormitório cantando e rindo, sem nos importar pela primeira vez o quanto que ele estava longe do pátio do acampamento, enquanto a Lila rodopiava pelo ar e aproveitava seus últimos minutos com asas.

## NOTA: DAR POÇÕES ALADAS DE PRESENTE DE NATAL PARA A LILA

E, Diário, um segredo: vendo tudo aquilo, eu senti pela primeira vez que me encaixava em alguma coisa. Eu era útil para o nosso time e pela primeira vez todo mundo gostava de mim, e até o Scorpio tinha parado de fazer maldades comigo.

Pela primeira vez eu senti que as pessoas poderiam gostar de mim e espero que continue assim, porque eu gostei de sentir isso.

Agora preciso ir, a Senhorita Yara trouxe mais marshmallows!

## QUINTA, 7 DE JULHO

Querido Diário,

Hoje de manhã cedinho a Senhorita Yara me chamou e disse que precisava conversar comigo e que eu deveria me encontrar com ela depois do café da manhã.

Não sei se você sabe, mas não existe nada pior do que alguém falar "Preciso conversar com você", então tomei meu café da manhã tão ansiosa que eu nem lembro mais o que comi.

ACHO QUE FOI PÃO COM MANTEIGA OU LÁPIS DE COLORIR, NÃO SEI

Eu tinha certeza que a conversa era sobre alguma coisa envolvendo a minha mãe e a carta. Todo mundo devia estar em perigo e a culpa era minha porque eu não tinha contado as coisas direito.

Então voltei correndo para o nosso dormitório, onde a Senhorita Yara me esperava no maior clima de filme de sociedade secreta possível e começou a me guiar pela floresta. Depois de caminhar um pouco, ela finalmente disse que tinha pensado em um plano perfeito para o nosso time ganhar o acampamento.

A primeira coisa que eu senti foi alívio, por não ser nada perigoso envolvendo a minha mãe e a segunda coisa foi me sentir animada por termos um plano.

Porém quando chegamos ao esconderijo, eu quase caí para trás, porque a Senhorita Yara disse:

— E nesse plano preciso que vocês trabalhem juntos.

E ali no esconderijo adivinha quem estava? Ele mesmo, o Scorpio!

**NÓS DOIS SEM ACREDITAR NISSO:**

Tudo bem, eu sei que indiretamente nós já estávamos trabalhando juntos, mas eu não queria oficializar isso.

O Scorpio, que pensava a mesma coisa, iniciou o diálogo:

— Não.

Ok, não foi bem um diálogo, então eu continuei:

— Sim, quer dizer, não, eu não quero trabalhar com ele.

— Eu que não quero trabalhar com ela. A propósito, ela quem começou tudo quando jogou um sorvete na minha cara.

— Eu já falei mil vezes que foi sem querer...

— De qual sabor era o sorvete? — a Senhorita Yara perguntou.

— Chocolate — respondemos juntos.

— Então com certeza foi sem querer, porque ninguém ia desperdiçar um sorvete de chocolate na cara de outra pessoa. Agora parem de bobeira que temos um mistério para resolver.

Eu já disse que amo a Senhorita Yara?

Depois disso, ela tirou da bolsa a misteriosa caixinha de música que pegamos ontem na prova. Aquilo com certeza seria uma pista sobre a próxima prova, mas nada parecia fazer sentido.

A caixinha tocava uma música tão estranha que até parecia que estava estragada. Também não tinha nada escondido dentro da caixa que pudesse ser uma pista.

Simplesmente nada parecia ser importante.

Só sei que ficamos o dia todo fritando a cabeça com essa bendita caixinha de música e não chegamos à conclusão nenhuma – o que me deixou com muita raiva, porque eu odeio deixar um mistério sem resolver ou ficar sem um plano.

Então, quando a noite chegou, tudo que nos restou foi voltar para o nosso dormitório sem nenhuma novidade para o nosso time.

Para nos animar, eu e a Lila começamos a conversar (bem baixinho pro Scorpio não ouvir) sobre o concurso de talentos. A verdade era que eu não conseguia pensar em nenhum talento que eu pudesse apresentar, mesmo a Lila insistindo que eu tinha vários.

Se "azar" for um talento, eu tenho vários mesmo.

Então decidi que vou apenas ficar assistindo ao show e aplaudindo a Lila, enquanto eu a ajudo com tudo que ela precisar até lá, além de que eu já tenho várias ideias de roupas lindas para ela!

Agora preciso ir, Diário, amanhã o dia vai ser cheio!

## SEXTA, 8 DE JULHO

Querido Diário,

As palavras que definem o dia de hoje são: ódio, raiva, injustiça, tristeza e vontade de ir embora, com reviravoltas e mais reviravoltas. Ou seja, muita coisa.

O dia já começou comigo bem chateada por não ter conseguido pensar em nenhum plano para a prova de hoje, então todos já sabiam que tínhamos grandes chances de perder – e se a Escola de Magia ganhasse de novo, a vitória do acampamento seria deles.

A longa caminhada do dormitório até o pátio do acampamento pareceu ainda mais longa com todo aquele silêncio e clima triste e, quando finalmente chegamos, piorou. Isso porque, acredite se quiser, a prova seria nada mais nada menos do que debaixo da água.

Isso mesmo.

O que é uma baita injustiça, já que na competição há sereias e tritões, então era mais fácil nem ter prova nenhuma e já anunciar: "Vitória do Time Alga!". Com certeza isso foi uma grande armação.

A prova seria mergulhar no grande lago, onde no fundo estavam vários objetos e ganharia a escola que depois do tempo de dois minutos tivesse pego mais desses itens escondidos.

Repetindo: uma grande armação, já que sereias e tritões têm caudas, sensores de ecolocalização e podem respirar debaixo d'água. A prova foi feita para elas ganharem.

Eu olhei para a Lila, e ela já sabia: eu logo ia dar o meu *Ataque Amora de ódio*. Só que nem deu tempo, porque sem nem pensar duas vezes a Duquesa Vanora cara de alga velha já começou a anunciar o início do torneio e, no próximo segundo, já estavam todos na água.

Tentei encontrar os objetos, juro que tentei, mas é muito difícil procurar um objeto debaixo d'água quando se tem uma cauda de sereia batendo na sua cara. Sim, a Coral fez isso.

E, SIM, ISSO DOEU!

A prova durou dois longos e dolorosos minutos e, no final, nosso time tinha conseguido encontrar só cinco objetos, enquanto as sereias e os tritões tinham encontrado mais de cinquenta.

A vitória do Time Alga foi anunciada (nossa, que surpresa), o que fez um empate com as três escolas, já que cada uma ganhou uma das provas.

Então nem tudo estava perdido e isso me deixou com uma pitada de esperança, com toneladas de: *eu preciso me vingar!*

Sei que não queria oficializar um time com o Scorpio, mas situações desesperadoras precisam de atitudes desesperadas, então, durante o percurso de volta para o dormitório, em vez de chorar eu resolvi tentar iniciar uma conversa com ele.

— O que a gente vai fazer? — Foi o que eu perguntei.

— A gente eu não sei, mas você precisa urgentemente de uma pomada no rosto.

Por que ele é tão... *assim?*

— É sério, aquilo com certeza foi uma armação... Não foi justo.

— Sério? Eu nem percebi — ele disse com aquele sorriso maldoso de sempre. Definitivamente não dá pra manter uma conversa com o Scorpio.

Ao chegar no dormitório, a primeira coisa que eu fiz foi correr até o banheiro e me olhar no espelho. E apesar de eu não querer admitir que o Scorpio estava certo, eu realmente precisava *urgente* de uma pomada no rosto. Ele estava tão inchado devido às várias *caudadas* da Coral, que até parecia que eu tinha comido tomate-palhaço.

## NOTA: EU TENHO ALERGIA A TOMATE-PALHAÇO

Então eu cobri o meu rosto com uma pomadinha que a Senhorita Yara fez com algas e hortelã e me deitei ao lado da Lila, enquanto a gente conversava um pouco sobre filmes, para distrair.

Até que a Poeirinha veio correndo na nossa direção e pulou no meio de nós duas como se o mundo estivesse acabando. Ela pulava sem parar e soltava aqueles vários sons aleatórios de sempre.

— Em ednetne, em ednetne, em ednetne — Poeirinha dizia sem parar.

Só que a Lila começou a olhar para a Poeirinha de um jeito diferente, então ela se levantou, pegou uma folha do diário de animais magicamente perigosos e fofos e escreveu letrinha por letrinha do que Poeirinha estava falando.

Um minuto depois a Lila entendeu tudo:

— A Poeirinha está querendo falar com a gente, e é muito fácil de entender, olha só!

E a Lila é genial, porque ela descobriu que a Poeirinha falava a nossa língua, só que **AO CONTRÁRIO**! Então a gente poderia entender tudinho, era só escrever as palavras em um papel e depois ler de trás para a frente.

E naquele momento a gente percebeu o que a Poeirinha estava dizendo:

— Me entende, me entende, me entende.

Não demorou então para a Poeirinha nos contar tudo: a Duquesa Vanora cara de alga velha era mesmo uma pessoa horrível e estava fazendo de tudo para as sereias ganharem. Sobre a prova anterior, a caixinha de música era uma pista falsa só para perdermos tempo. Já no desempate de amanhã ela armaria mais uma vitória!

E para fechar a Poeirinha contou:

> EU VOU DESCOBRIR A PROVA DE AMANHÃ, JÁ VOLTO!
>
> ESPERO CHOCOLATES QUANDO EU VOLTAR!

TRADUZIDO POR LILA

Depois então da Poeirinha sair correndo, eu e a Lila fomos contar todas as descobertas para a Senhorita Yara. Ela ficou chocada e decepcionada ao descobrir o quanto a Duquesa Vanora estava sendo maldosa e nos prometeu que isso não ficaria desse jeito.

Então, a Senhorita Yara reuniu todos do nosso time e contou tudo o que tínhamos descoberto e disse para pegarmos vários chocolates para darmos de presente para a Poeirinha quando ela voltasse.

Assim, quando a Poeirinha voltou e trouxe outras poeiras invisíveis com ela, havia um balde de chocolate de presente, o que as deixou muito felizes. Elas nos contaram tudo que a Duquesa Vanora estava aprontando.

Só que tinha mais coisa e a Poeirinha nem conseguia explicar o que era: eu tinha que ver com os meus próprios olhos. Então eu corri na minha mochila, peguei o binóculo de jade e fui atrás da Poeirinha.

Ela tinha me levado até o chalé onde a Duquesa Vanora ficava, que era superluxuoso, diferente do nosso aos pedaços. Para espionar, me escondi atrás de um arbusto bem cheiroso e, com o meu binóculo eu espiei através da janela.

E quando vi o que a Poeirinha queria, quase caí para trás. Bem que a Poeirinha disse que eu só acreditaria vendo.

Porque lá dentro do chalé da Duquesa Vanora estava a Coral e as duas estavam tomando chocolate quente como se fossem grandes amigas. Então resolvi aumentar o volume do meu binóculo (ele é muito poderoso) para ouvir a conversa e foi nesse momento que eu entendi tudo:

— Ai, vovó, quando é que eu vou me tornar princesa? — Foi o que a Coral perguntou.

E fiquei apenas:

— Primeiro vamos dominar o acampamento e, depois, Florentia — Duquesa Vanora respondeu.

*Calma.*

Então, a dona do acampamento estava fazendo tudo isso só para a neta dela vencer? E depois o plano seria dominar Florentia? Aliás, por que a Duquesa Vanora cara de alga acha que deveria ser a rainha de Florentia? Só porque ela nada em rios de dinheiro?

E se a Coral acha que ela ia tirar meu posto de princesa, ela estava muito, mas muito enganada.

Naquele momento, a Poeirinha me cutucou e me lembrou:

— Eu disse que você só acreditaria vendo... E eu não poderia falar isso na frente de todo mundo, porque, né, envolve o seu segredo.

Ok, então os problemas eram maiores do que eu poderia imaginar e... Será que a Vanora tem alguma coisa a ver com os ovos misteriosos e toda a ruína que vai cair sobre Florentia? Será que a Vanora é a *"Ela"* que a minha mãe e a vidente tanto temem?

Esse acampamento ficou ainda pior do que eu poderia pensar... Eu só queria umas férias sossegadas, era pedir muito?

Só que, Diário, eu não deveria ter pensado isso, porque nada está tão ruim que não possa piorar... Porque quando ia me levantar, eu me desequilibrei e o meu binóculo acabou mirando em outra direção. E foi aí que notei mais uma coisa: a carta-alada que eu tinha escrito para a minha mãe estava na mesa da Vanora acertada por uma flecha e aberta. Ela tinha lido a minha carta.

Claro que eu não tinha escrito "Oi, rainha, que por acaso é a minha mãe, aqui é a Amora, sua filha princesa que está no acampamento, tudo bom?".

Eu tinha sido bem discreta, como se eu fosse a Florentina

tentando falar com a rainha, contando que eu sabia da profecia e que a tinha desvendado, mas agora a Vanora sabia disso.

E se ela fosse a pessoa por trás dos ovos misteriosos, agora sabia que eu sabia todo o plano dela... Isso não é mais sobre ganhar ou perder o acampamento, isso agora é sério e eu não faço ideia do que fazer.

Quando voltei para o dormitório, eu só pude contar para a Lila tudo o que eu vi, e ela ficou chocada em imaginar que talvez tudo fosse obra da Vanora – o que significava que estávamos em grande perigo.

A única boa notícia disso tudo é que o acampamento estava acabando, e as poeiras tinham descoberto qual seria a prova do dia seguinte, e nós faríamos de tudo para vencer.

## SÁBADO, 9 DE JULHO

Querido Diário,

Hoje o dia começou com o meu rosto ainda mais inchado do que ontem, de um jeito que parecia que eu tinha levado uma picada de abelha em cada milímetro de cantinho do meu rosto, e o pior de tudo: eu estava toda me coçando.

**MEU ROSTO ONTEM** ✕ **MEU ROSTO HOJE**

Assim que eu saí da cama, trombei no Scorpio que me encarou por um tempão. Ele não riu, mas juro que ele estava fazendo tanta força para ser minimamente legal que até ficou vermelho de tanto segurar a risada.

— Você ainda precisa de uma pomada. — Foi o que ele teve coragem de dizer, como se eu já não soubesse.

Só ignorei e fui até o quarto da Senhorita Yara para pedir mais pomadinha curativa, só que quando ela me viu tomou um grande susto e começou a me encher de perguntas sobre o que eu tinha feito ontem à noite.

E então nós descobrimos o verdadeiro culpado (apesar de eu preferir culpar a Coral mesmo): o arbusto em que eu fiquei escondida ontem para espionar a Vanora era um arbusto de tomate-palhaço! Entre tantos arbustos eu fui me esconder atrás logo do ÚNICO que eu tinha alergia!

Só comigo mesmo e era tudo que me faltava: fazer a prova com o rosto todo inchado e toda me coçando. Eu não poderia ficar no dormitório descansando, apesar de a Senhorita Yara insistir. Meu time precisava de mim.

Então eu passei mais pomada na cara, vesti minha roupa e fui assim mesmo.

Ao chegar no pátio, assim que a Coral olhou para mim ela começou a gargalhar alto e zombar da minha cara com as amigas sereias dela, o que não ajudou nada na raiva que eu já estava sentindo.

Mas ela podia rir à vontade, porque logo, logo eu que ia rir.

A Duquesa Vanora, então, subiu no palco e anunciou a prova que nós já sabíamos graças à Poeirinha: seria uma caça ao tesouro pela floresta e o primeiro time que pegasse o troféu dentro do baú sairia como o grande vencedor.

As sereias já sabiam onde estava o baú de tesouro, mas o que não imaginavam era que nós também sabíamos. Então nossa missão era impedir que chegassem até lá.

Assim, a Poeirinha convocou seu exército de poeiras-tilintantes invisíveis e quando a prova iniciou, todas elas foram para cima das sereias e dos tritões malvados.

E, Diário, a gente já teve uma experiência com isso e você sabe: é muito, muito, irritante quando uma poeirinha gruda em você e fica beliscando e mordendo o seu bumbum. Então, a Coral e o resto do seu time simplesmente não conseguiam parar de se coçar e nem sair do lugar, o que nos deu tempo de seguir a Poeirinha até o local do baú do tesouro.

O baú estava realmente muito escondido, de uma forma que seria impossível encontrar sem saber onde ele permanecia. Só que o problema era: ele tinha um cadeado enorme, igual ao que eu tinha colocado na caixinha do Onyx para protegê-lo e a Poeirinha não sabia a senha.

Mil coisas se passaram na minha cabeça naquele segundo, a gente não podia deixar a Coral vencer, nem todas as injustiças da Vanora terem um final feliz, a gente precisava de um plano e rápido, porque logo as sereias iam chegar.

Então naquele momento, eu e a Lila nos olhamos. A gente sabia exatamente como destruir aquele cadeado.

Não sei se você lembra, mas antes de vir para o acampamento e graças às "pulanças" da Poeirinha, nós descobrimos que ao sacudir o cadeado para esquerda, esquerda, direita, cima, baixo, ele misteriosamente abre sem a senha.

Então fizemos isso e PLIM, o cadeado abriu na nossa mão.

Dentro do baú estava o troféu do Acampamento Floreios que por uma grande coincidência (só que não), já estava com o nome "Time Alga" gravado nele. Eu, a Lila e o nosso time já estávamos prontos para correr de volta e anunciar a nossa vitória, porém a Coral e seu time da maldade apareceram bem na nossa frente.

— Eu não sei como vocês conseguiram isso, mas isso não é de vocês — Coral afirmou, enquanto a Vanora surgia atrás dela.

Nessa hora tudo estaria perdido... se não fosse a mente maldosa do Scorpio. Porque você sabe, ele é mau e uma pessoa má sabe o que os outros malvados são capazes de fazer.

Então ontem à noite ele nos contou tudo que a Vanora seria capaz de fazer para não vencermos. Uma das possibilidades foi o que realmente aconteceu: ela jogou um feitiço congelante em mim, e eu me tornei uma estátua de gelo.

ATÉ QUE É LEGAL VIRAR UMA ESTÁTUA DE GELO

Aquilo foi o que bastava para o Conselho das Sereias, que estava escondido ao nosso redor, surgir e se revelar para a Vanora.

— Senhora Vanora, a senhora poderia nos acompanhar? — disse Yanka, a Presidente do Conselho das Sereias, o que deixou a Vanora sem entender nada e completamente em choque.

*O que o Conselho estava fazendo ali para conseguir pegar as maldades dela bem na hora? Como é que tinham descoberto o plano dela?* Você tinha que ver a cara da Vanora e da Coral, eu queria muito ter tirado uma foto.

SE EU TIVESSE TIRADO UMA FOTO, SERIA MAIS OU MENOS ASSIM

E, bom, eu te conto o que aconteceu: como o Scorpio nos garantiu que a Vanora faria de tudo para que a neta dela vencesse, incluindo usar seus poderes contra nós, ele disse que poderíamos deixar uma câmera filmando todas as maldades que ela fizesse.

Mas a Senhorita Yara propôs algo ainda mais interessante: e se o próprio Conselho das Sereias estivesse ali assistindo a tudo ao vivo?

E isso não foi difícil de conseguir, já que a presidente Yanka é a irmã mais velha da Senhorita Yara. Assim, antes da prova começar, a Poeirinha mostrou a ela e ao Conselho onde é que o baú estava escondido e eles apenas tiveram que esperar o inevitável.

Como diz a Lila e os dragões-libélulas: a vingança é melhor quando se joga mel na sopa.

Então, sim, nós ganhamos o Acampamento Floreios e provamos para todo mundo que não precisamos de poderes para sermos incríveis também. Olha essa foto que a Senhorita Yara tirou da gente:

EU NÃO ABRACEI O SCORPIO,

ELE QUE APARECEU DE PENETRA NA FOTO

A Escola de Magia foi um amor e os alunos nos abraçaram, inclusive a Olivia veio até nós para nos dar um "parabéns de princesa". Com só oito anos, a Olivia já é uma princesa melhor do que eu poderia ser.

Já as sereias apenas saíram bufando sem nem olhar na nossa cara.

~~E, Diário, até o Scorpio me abraçou.~~

E, Diário, todo mundo se abraçou, foi muito divertido e voltamos cantando e dançando para o nosso dormitório, com o nosso grande troféu na mão, que a Lila deu um jeitinho de deixar com a nossa cara:

O TROFÉU MAIS LINDO DE TODOS!

Mas com tudo isso eu não pude deixar de pensar: *será que a Vanora seria mesmo capaz de tomar Florentia? E será que os ovos eram tudo culpa dela?* Eu não poderia contar isso para a Senhorita Yara nem para a Presidente Yanka, então tudo que me restava era esperar voltar para casa e contar para a minha mãe.

E agora eu tenho que ir, porque para comemorar nossa vitória a Senhorita Yara vai contar histórias na fogueira, enquanto comemos muita pizzas e doces!

Diário, eu tive que voltar aqui porque você não vai acreditar. A Senhorita Yara contou a história da minha mãe (que eu já conhecia e prometi te contar, mas nunca contei – *desculpa*), então deixa eu aproveitar e deixar aqui a história que ouvimos hoje.

Essa história é muito famosa aqui em Florentia. Depois de lê-la, você vai ver como a minha mãe é incrível! Apesar de eu já conhecer a história, eu sempre me arrepio quando eu a ouço. Ela é assim:

**S**tena era apenas uma fada de família pobre, que de repente viu sua vida virar de cabeça para baixo. Quando ela era apenas uma criança, seus pais acabaram morrendo de forma trágica, e a jovem garota que ficou sozinha passou a vagar sem rumo pelas ruas de Florentia.

Entretanto, a jovem Stena já chamava a atenção por sua doçura, bondade e inteligência e não demorou para ela ser acolhida por uma senhora amável do vilarejo. A Senhora trabalhava na cozinha do castelo e, assim, Stena passou a morar lá com ela, ajudando-a nas tarefas de confeitaria.

Ali, a jovem fada cresceu e, por todas suas qualidades, ganhou a admiração da **Rainha Edwina**, que não tinha herdeiros. Com o passar do tempo, a Rainha Edwina ia ensinando tudo que sabia para Stena: a magia das fadas, como governar com justiça, como ser leal a todos de Florentia e sempre pensar no reino em primeiro lugar.

Quando a Rainha Edwina decidiu, então, encerrar seu reinado, ela coroou Stena, fazendo de uma camponesa uma rainha. Depois disso, ganhando o posto de Grã-Rainha, Edwina nunca mais foi vista e Stena passou a governar sozinha.

Mesmo sozinha, a jovem rainha governou seu primeiro ano com sabedoria, força e justiça, ganhando o respeito e aprovação de todos do reino, porém não foi assim que ela ganhou seu título de Rainha Inabalável.

O seu título veio apenas três anos depois, durante a **Batalha dos Bradadores**. Naquele ano, misteriosas criaturas monstruosas começaram a emergir das profundezas da terra e semear o caos, devastando todo o reino.

O propósito dos bradadores era aterrorizar todos aqueles que olhavam para eles, com sons altos e assustadores capazes de tirar a sanidade de qualquer pessoa que os ouvissem.

Como uma rainha leal, Stena não deixou que seu povo lutasse sozinho nessa batalha, então ela se uniu a eles. Porém, no meio da batalha centenas de bradadores cercaram a todos, com gritos agudos que seriam capazes de fazer qualquer pessoa se render. Se a Rainha se rendesse, Florentia seria tomada, entretanto a Rainha não se rendeu.

Na verdade, ela sequer estremeceu. Enquanto todo o batalhão rolava no chão pelos tormentos dos gritos das criaturas, a Rainha Stena os derrubou sozinha com sua magia poderosa, ganhando nesse dia o posto de fada mais poderosa de Florentia e o título de **Rainha Inabalável**.

## DOMINGO, 10 DE JULHO

Querido Diário,

Hoje foi o nosso último dia no acampamento e apesar de todas as derrotas, da lama na cara, das *caudadas* de sereia no rosto, da alergia de arbusto e de ter que desmascarar as maldades de uma sereia rica do mal, tenho que admitir: eu vou sentir saudades.

**PRINCIPALMENTE DA SENHORITA YARA**

Hoje no nosso último dia, a Senhorita Yara estava bem chorosa em ter que se despedir de todos nós, então ela resolveu dar uma festa de despedida e pediu para as fadas-confeiteiras do acampamento fazerem as sobremesas favoritas de cada um.

A minha, com certeza, foi uma torta de maçã-alada caramelizada, o que não virou uma gororoba porque as fadas-confeiteiras daqui são tão habilidosas quanto a minha mãe.

Já a sobremesa da Lila foi um bolo de framboesas-explosivas, que eu nunca tinha provado e, Diário, é uma delícia! Diz a Lila que era uma receita especial da mãe dela e que ela e o irmão amam, mas ela não quis dar muitos detalhes.

Eu também não pude deixar de ficar de olho em qual era a

sobremesa favorita do Scorpio. Para mim, ele tinha cara de quem amava jiló, quiabo e qualquer coisa sem graça, mas, acredite se quiser, o Scorpio mais uma vez conseguiu me surpreender.

A sobremesa favorita dele era torta de mirtilos-nebulosos azedos. Não sei se você lembra, mas um dos nossos planos seria dar uma torta dessas pro Scorpio, que seria tão azeda que ele nos daria o caderno de maldades dele. Ainda bem que não escolhemos esse plano.

E, na verdade, a torta de mirtilos-nebulosos azedos da receita da mãe do Scorpio não era tão azeda, no fundo ela é bem... gostosa. Ele também adorou a minha torta e eu admito que fico feliz de finalmente nossa briga ter chegado ao fim (na medida do possível).

Na mesa, também havia biscoitos salteados do Gabriel, barras de framboesas amanteigadas da Flora, brownie de menta do Felipe, donuts de creme-glacial da Rosa e por aí vai. Então passamos horas e horas provando aquele monte de sobremesas gostosas, e vez ou outra parando para dançar alguma música superlegal.

Quando a festa acabou, a Senhorita Yara me chamou e disse que tinha um presente para mim, o que me deixou toda feliz. Como você sabe, eu gosto muito dela, então saber que ela também gosta de mim fez eu me sentir muito especial.

E ela me deu o melhor presente de todos: uma poção transcrevedora! Ela me explicou que observou o quanto que eu amo escrever no meu diário e quando ela era criança ela amava fazer o mesmo. Só que uma das coisas que mais odiava era quando ela esquecia o que escrever no final do dia.

Então ela desenvolveu essa poção que transcreve em tempo real como está sendo seu dia. É só pingar algumas gotinhas na palma da mão e segurar o diário para a poção reconhecer quais são seus pensamentos que ela deve escrever e pronto: tudo que acontecer, vai ser escrito no diário durante cinco horas.

**POÇÃO DA YARA**

**O MELHOR PRESENTE DE TODOS!**

Eu amei mais do que tudo esse presente, mas a Senhorita Yara me disse para usar com sabedoria, porque a poção é feita com uma planta rara das montanhas de Florentia que só nasce de cinco em cinco anos e essa era a última poção que ela tinha.

Eu vou sentir muita saudade da Senhorita Yara. Será que tem como trocar a Bruxonilda por ela? Seria o meu sonho.

Agora eu preciso ir, a Senhorita Yara está nos chamando para acendermos uma fogueira e contarmos mais histórias. Depois te conto como foi!

⋆⁕⋆

Diário, a Senhorita Yara contou a história mais pedida por todo mundo, a da Princesa Amora... Sim, a minha história! E eu nem sabia que eu tinha uma história! Que história é essa que eu tenho uma história?

Isso me pegou de surpresa e me assustou demais, mas eu fiquei ainda mais assustada quando eu a ouvi...

Você precisa ler isso:

# Era uma vez

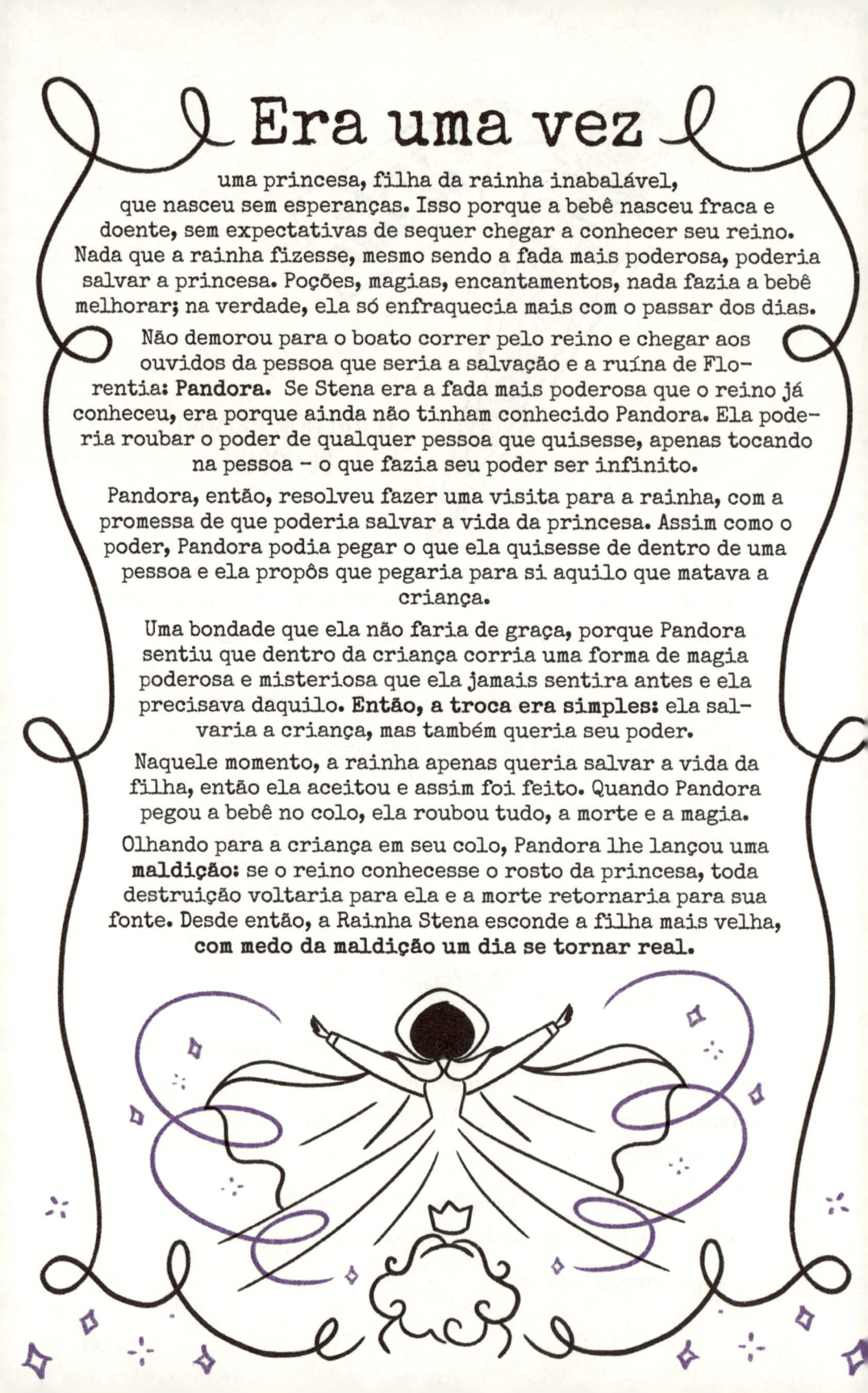

uma princesa, filha da rainha inabalável, que nasceu sem esperanças. Isso porque a bebê nasceu fraca e doente, sem expectativas de sequer chegar a conhecer seu reino. Nada que a rainha fizesse, mesmo sendo a fada mais poderosa, poderia salvar a princesa. Poções, magias, encantamentos, nada fazia a bebê melhorar; na verdade, ela só enfraquecia mais com o passar dos dias.

Não demorou para o boato correr pelo reino e chegar aos ouvidos da pessoa que seria a salvação e a ruína de Florentia: **Pandora**. Se Stena era a fada mais poderosa que o reino já conheceu, era porque ainda não tinham conhecido Pandora. Ela poderia roubar o poder de qualquer pessoa que quisesse, apenas tocando na pessoa – o que fazia seu poder ser infinito.

Pandora, então, resolveu fazer uma visita para a rainha, com a promessa de que poderia salvar a vida da princesa. Assim como o poder, Pandora podia pegar o que ela quisesse de dentro de uma pessoa e ela propôs que pegaria para si aquilo que matava a criança.

Uma bondade que ela não faria de graça, porque Pandora sentiu que dentro da criança corria uma forma de magia poderosa e misteriosa que ela jamais sentira antes e ela precisava daquilo. **Então, a troca era simples:** ela salvaria a criança, mas também queria seu poder.

Naquele momento, a rainha apenas queria salvar a vida da filha, então ela aceitou e assim foi feito. Quando Pandora pegou a bebê no colo, ela roubou tudo, a morte e a magia.

Olhando para a criança em seu colo, Pandora lhe lançou uma **maldição**: se o reino conhecesse o rosto da princesa, toda destruição voltaria para ela e a morte retornaria para sua fonte. Desde então, a Rainha Stena esconde a filha mais velha, **com medo da maldição um dia se tornar real.**

Com certeza isso é só uma história que as pessoas inventaram para explicar por que ninguém me conhece.... Eu acho que eu saberia se tivesse nascido com poderes e que na verdade já tenho uma maldição... Eu acho...

Será que não é a Vanora, e sim a Pandora, a pessoa que a minha mãe e a vidente tanto temem...? Eu não sei...

Eu só sei que a Senhorita Yara percebeu o quanto fiquei impactada com a história, mesmo eu tentando ao máximo fingir não estar quase desmaiando. Mas ela percebeu e achou que era porque eu tinha amado a história, então me deu o livro de presente, dizendo que eu ia gostar das outras também.

Um segredo: depois disso eu falei que ia ao banheiro e fiquei ali trancada por horas, pensando em tudo que eu tinha ouvido. Eu não sei por que fiz isso, mas mesmo não acreditando em nada daquela história, ela... Ela fazia sentido, mesmo eu não sabendo os motivos.

Eu preciso descobrir a verdade.

## SEGUNDA, 11 DE JULHO

Querido Diário,

Eu não queria me despedir do acampamento, mas as coisas sempre acabam mesmo que a gente não queira.

Agora estou aqui escrevendo no ônibus voltando para casa, enquanto a Lila cochila no meu ombro, a Poeirinha no meu pé e eu mastigo sem parar as folhinhas antienjoo do Scorpio.

Aliás, ele que veio até mim e me ofereceu algumas, então eu acho que não somos mesmo mais arqui-inimigos.

Mesmo com tudo isso acontecendo ao meu redor, a minha cabeça só consegue repetir, sem parar, a história sobre mim que eu ouvi ontem. Eu nasci com um grande poder e tenho uma maldição... Mas se isso for verdade, por que a minha mãe nunca me contou?

~~A minha mãe é uma rainha justa e amorosa, ela não me contaria uma mentira, ainda mais sobre mim mesma... Eu~~

É melhor eu parar de pensar nisso, isso é só uma história.

---

Diário, eu acabei de chegar em casa e acredite se quiser: a Olivia me abraçou e disse que foi muito ruim fingir que ela não era a minha irmã. Acredita que ela até jogou um *feitiço-catapora* na Coral para me vingar? Era por isso que ela estava com bolinhas vermelhas naquele dia que eu comentei.

Viu, a Olivia consegue ser boa, é só ela querer.

NEM PARECE QUE ME TRANSFORMA EM GALINHA

Depois disso, a próxima coisa que eu fiz foi procurar a minha mãe pelo castelo, mas mesmo eu procurando por ela em cada cantinho e em todos cômodos secretos, eu não a encontrei. Normalmente ela estaria me esperando, então algo devia ter acontecido.

A Senhora Dulce acabou esbarrando em mim durante a minha procura e ela me contou que tinha dias que a minha mãe não voltava para o castelo.

Ela resolveu tirar os ovos da torre e deixá-los em uma masmorra bem afastada do centro do reino, para que independentemente do que nascesse não machucasse as pessoas.

É esse tipo de rainha que a minha mãe é: ela prefere se machucar sozinha do que ver as pessoas sofrendo.

A Senhora Dulce me contou que, desde quando partimos para o acampamento, a minha mãe tem estado dia e noite vigiando os ovos sozinha. E, claro, ela tinha deixado ordens:

*Amora e Olivia estão proibidas de sair de seus quartos nas férias.*

O que quer dizer que eu não posso visitar a Lila, nem ajudar a Senhora Dulce nas compras, muito menos sentir o maravilhoso cheirinho de baunilha e pão que tem do lado de fora e que eu amo.

Universo, isso é uma vingança só porque eu ri daquela princesa que ficou presa numa torre por causa de rabanetes? Porque se for, eu prometo nunca mais rir das outras princesas.

Ela presa por causa de rabanetes e eu por causa de ovos. Vida de princesa não é mesmo fácil.

## TERÇA, 26 DE JULHO

Querido Diário,

Eu nunca tinha conhecido o real significado da palavra "tédio" até essas férias. Para você ter ideia eu já organizei meus livros por cor e depois por tamanho, já separei meus sapatos por ordem que eu mais uso e até fiz uns polichinelos para ver se o tempo passava mais rápido.

Mas não passou.

Até a Poeirinha, que ama ficar dormindo e comendo chocolate, já não aguenta mais isso e vez ou outra ela resmunga:

— Acnun siam omoc etalocohc!

Segredo: depois de um segundo ela já está comendo chocolate de novo.

Uma coisa boa dessas férias tediosas é que eu tive muito, mas muito tempo mesmo para desenhar a roupa perfeita para a Lila usar no Concurso de Talento! Olha só:

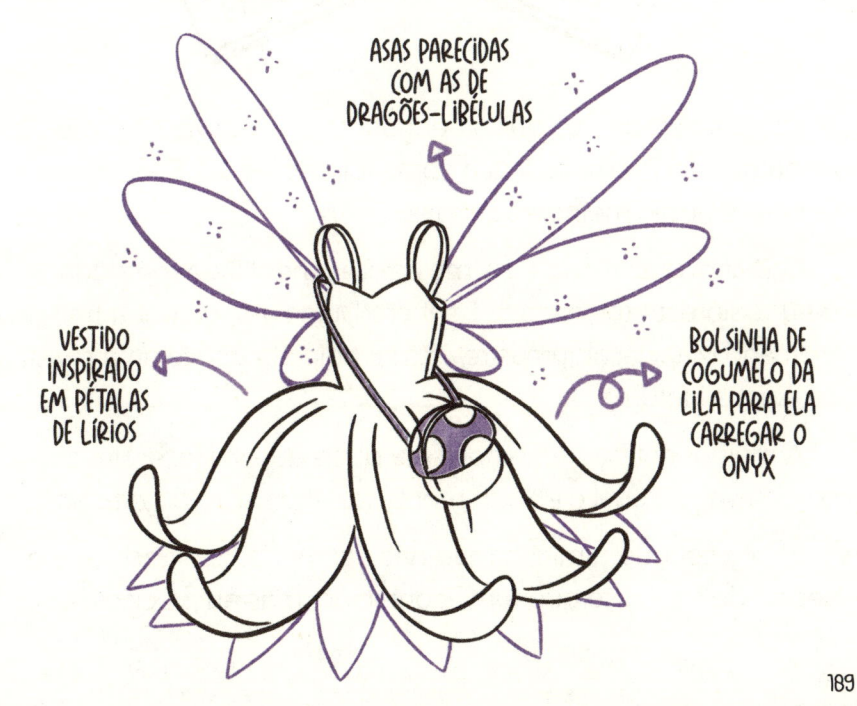

ASAS PARECIDAS COM AS DE DRAGÕES-LIBÉLULAS

VESTIDO INSPIRADO EM PÉTALAS DE LÍRIOS

BOLSINHA DE COGUMELO DA LILA PARA ELA CARREGAR O ONYX

Estou muito ansiosa para as aulas voltarem e eu mostrar para a Lila, ela vai amar!

Já a Olivia também não está lidando muito bem com essa história de ficar presa, ainda mais que ela é superpopular e já tinha planejado vários passeios com as amigas nas férias. Então, tudo que restou fui eu – o que nunca seria a primeira opção dela.

Então todo dia à noite nós vemos algum filme juntas, o que sempre dá briga na hora de escolher, porque ela quer ver filmes de terror e eu quero ver filmes fofinhos.

**ALGUÉM PRECISA CRIAR UMA CATEGORIA DE "TERROR FOFINHO", ALGUMAS DICAS:**

Só que acredite se quiser, enquanto eu e Olivia brigamos, a Nebulosa e a Poeirinha ficam abraçadinhas juntas. Elas são muito fofas e já são melhores amigas.

E, Diário, quase que eu ia me esquecendo! Para me ajudar no meu tédio estratosférico, a Senhora Dulce vez ou outra traz do Mercado Magical algumas revistas e hoje ela trouxe uma revista da Rainha Noturna.

A melhor notícia vem agora: ela disse que vai fazer um show no Festival Outonal e ela raramente faz shows, então *preciso* ir!

Já até sei que a minha mãe não vai me deixar ir ao Festival, depois de tudo isso que tem acontecido, mas eu preciso assistir ao show dela mais do que tudinho nessa vida...

Aliás, falando da minha mãe, ela realmente não tem voltado para o castelo. Esses dias eu só a vi uma vez, só que foi tão rápido que eu nem consegui falar para ela sobre a profecia, muito menos perguntar se a minha história é verdadeira (o que eu nem sei se eu teria coragem).

Porém, pela forma que ela não para de vigiar os ovos nem por um segundo, acho que já desvendou a profecia também.

Outra coisa que rolou nessas férias: mais atrapalhadas no *Fofocas da Torre*. Olha, eu sei que prometi que não ia mais rir das outras princesas, mas é impossível.

Isso porque a história da vez foi que uma menina com uma capa vermelha quase foi devorada por um lobo que fingiu ser a avó dela e ela acreditou! SIM, como é que ela não percebeu que era um lobo usando roupas? Lobos são muito diferentes de vovozinhas, é muito fácil diferenciar:

UMA VOVOZINHA × UM LOBO VESTIDO DE VOVOZINHA

VIU COMO É FÁCIL?

Agora eu preciso ir, a Olivia está me chamando para escolher qual filme vamos ver hoje para não morrermos de tédio, mas a boa notícia é que as aulas estão voltando.

P.S.: A Olivia quer assistir a *O massacre da varinha-elétrica*, me deseje boa sorte.

# DOMINGO, 31 DE JULHO

Querido Diário,

Finalmente as férias acabam amanhã! Essas férias tediosas, sem ver a minha mãe, sem poder sair do quarto, só assistindo a fofocas e filmes de terror com a Olivia até me fez sentir saudade da Bruxonilda.

Tá, admito, agora eu exagerei.

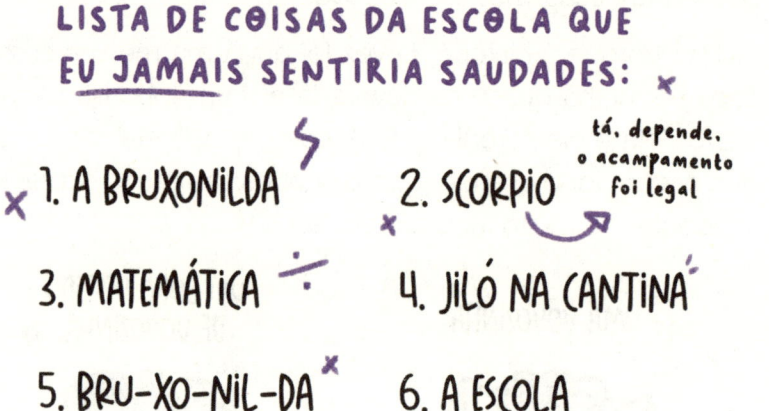

**LISTA DE COISAS DA ESCOLA QUE EU JAMAIS SENTIRIA SAUDADES:**

1. A BRUXONILDA ✗
2. SCORPIO ✗ — *tá, depende, o acampamento foi legal*
3. MATEMÁTICA
4. JILÓ NA CANTINA
5. BRU-XO-NIL-DA ✗
6. A ESCOLA

Mas eu estou com saudade mesmo é da Lila!

Durante as férias, tudo que restou para nós foi trocar *mensagens-encantadas*, que é um novo tipo de mensagens que as bruxas inventaram por meio de um bloco de papel mágico: é só você escrever no topo seu nome-mágico (você pode inventar o que quiser) e depois o nome-mágico da pessoa com quem você quer conversar.

E, plim, é só você escrever o que quiser que isso aparece no bloco mágico da outra pessoa. Hoje a minha conversa com a Lila foi assim:

## @PudimDeAmora para @LilaLibélula

**Lila, eu não aguento mais ver filmes de terror (T.T)**

> A Olívia tá precisando bater um papo com os Pégasos-chantilly, eles amam filmes de comédia! Hoje mesmo eu assisti a um com eles, chamava A Fantástica Fada de Chocolate (a Poeirinha ia amar).

**Acho que já vi esse, é aquele que um menino cai num lago de chocolate? Seria meu sonho.**

> Esse mesmo, eu amei! Falando em lago, os dragões não querem se apresentar no concurso de talentos :( Tão com vergonha.

**Ah, mas eu acho que vai ser igual semana passada, que eles falaram que tavam com vergonha e depois mudaram de ideia (* ^ . ^)**

> Tomara que eles não fiquem com vergonha no dia :(

**Eles não vão, porque eles vão amar a roupa que eu desenhei pra você, aliás VOCÊ PRECISA VER SUA ROUPA!!!**

> Eu tô muito curiosa, leva amanhã! Você já arrumou suas coisas pra amanhã?

**Já e você? Vou levar também uns doces novos que a Senhora Dulce fez para você experimentar!**

> Arrumei tudo e vou amar os doces! Pera, o Onyx tá soltando aquela fumaça estranha de novo, o Leo quase percebeu ontem. Já volto!

Durante as férias, a Lila esteve bem focada em cuidar do Onyx escondido do Doutor Epimênides e do irmão, enquanto ela treinava sem parar com os dragões-libélulas para a apresentação no Concurso de Talentos (mas eles ainda estão bem tímidos com a ideia).

Só que há alguns dias, o Onyx começou a soltar uma fumaça bem estranha, o que tem dificultado muito em deixá-lo escondido. Não sei se os ovos que a minha mãe está cuidando também estão desse jeito, mas se estiverem, aí que ela não volta para casa tão cedo.

Eu só queria contar para ela que o ovo que a Lila está cuidando pode ser o que vai salvar Florentia e que ela não precisa ficar tão preocupada, mas não posso nem fazer isso.

Espero que a escola seja legal para eu poder me distrair, porque não aguento mais ficar pensando em ovos e maldições.

Falando na escola, será que o Scorpio vai falar comigo? Não que eu me importe com isso, mas admito que as coisas seriam um pouco mais fáceis se ele parasse de implicar comigo e parasse de fazer todo mundo rir de mim.

Ele foi bem... estranho, mas legal, no acampamento e eu não sei se era porque ele estava sem amigos, ou se era porque ele finalmente percebeu que não sou tão chata quanto ele imaginava.

Tomara que seja a segunda opção porque estou cansada de brigar.

# SEGUNDA, 1º DE AGOSTO

Querido Diário,

Hoje foi a volta às aulas e eu vou te dar três alternativas sobre como foi, me conta qual que você acha que aconteceu:

A) A Bruxonilda logo no primeiro dia nos encheu de trabalhos, já marcou a semana de provas e, claro, tirou alguns pontos de mim só porque eu estava sentada torta.

B) O Scorpio fingiu que nem me conhecia, nem olhou na minha cara e ainda ficou espalhando fofocas sobre como eu envergonhei a nossa escola no acampamento (sim, a história da lama.

C) Eu e a Lila fomos comer os doces novos da Senhora Dulce, mas eles estavam cheio de formigas-borrachudas.

Claro, você escolheria só uma dessas coisas ruins como opção para acontecer comigo, mas o universo claramente não vai com a minha cara e escolheu logo as três de uma vez: ou seja, tudo isso aconteceu hoje e foi a pior volta às aulas do mundo todinho.

Assim que cheguei na escola, eu estava saltitante e feliz, e tinha até feito um penteado bem estiloso para arrasar, porque sabia que finalmente não seria mais a pessoa mais odiada da escola.

UM PENTEADO LINDO PARA DAR SORTE

No corredor, por eu estar toda animada, acabei esbarrando no Scorpio e quando eu o vi, não pude deixar de sorrir e soltar um imenso "oi". E você sabe o que ele fez? Ele me olhou com a maior cara de nojo e fingiu que nunca tinha trocado uma palavra comigo na vida.

Acredita nisso?

Aquilo fez meu coração doer, porque o acampamento tinha sido legal, ele tinha sido legal e por que ele não podia ser legal na escola também? Naquele momento eu queria dar um pontapé na canela dele, mas eu tentei ignorar e fui me encontrar com a Lila na sala.

Nem deu tempo de a gente matar a saudade uma da outra, que a Bruxonilda já foi chegando com aquela cara de "Bom dia pra quem?", passando mil matérias novas no quadro, trabalhos para fazer e marcando a data da semana das provas finais.

Eu amo estudar, mas pra que a gente precisa fazer prova e ficar provando por aí que a gente sabe mesmo das coisas? O pior é que a maioria das coisas nem fazem sentido, como por exemplo: para que eu preciso saber o nome de umas flores que nem existem aqui em Florentia?

Elas simplesmente não existem aqui, então deixem elas lá quietinhas onde elas existem.

Outra coisa: por que eu preciso saber calcular a área de um triângulo? Se o triângulo for um pedaço de torta é simples: quanto maior a área, melhor. Tirando isso, não vejo utilidade nenhuma.

Mas se eu não provar que sei essas coisas sem sentido, reprovo de ano e se eu reprovar de ano, não saio nunca da escola, o que seria um pesadelo.

## OBJETIVO DA ESCOLA: SAIR DA ESCOLA

Então as aulas mal tinham voltado e eu já estava assim:

## QUERO MINHA VIDA DE TÉDIO PRESA NA TORRE DE VOLTA!

A única coisa que me fazia manter a calma e não sair correndo para as montanhas balançando os braços para o ar, era que no recreio eu e a Lila tínhamos os doces maravilhosos da Senhora Dulce para comer.

Então quando o sino para o recreio tocou, nós fomos correndo para o nosso esconderijo secreto. A minha boca já estava salivando de vontade de comer os doces, eu estava contando os segundos para esse momento, mas assim que abri a vasilha... Estava tudo cheio de formiga.

Ou seja, um dia cheio de desastres e derrotas e lágrimas de desespero.

A boa notícia é que quando eu cheguei em casa, a Senhora Dulce ainda tinha alguns doces, então eu comi alguns e separei outros para levar para a Lila amanhã de novo (e dessa vez vou fechar bem a vasilha!).

Mas enquanto eu tive um dia de desastre, a Olivia teve um dia de princesa (como sempre) e voltou para casa cheia de cartinhas de saudade, presentes e doces.

Pelo menos ela estava menos malvada comigo depois do acampamento e, em casa, as derrotas estavam menores (o que já é um alívio). Acho que a Olivia também está com muita saudade da nossa mãe e eu sou tudo que sobrou para ela por aqui.

Falando nisso, agora preciso ajudá-la em uma tarefa de análise de pseudopoções, que, diferentemente de matemática, é uma matéria legal e útil que ensina quais poções são verdadeiras e quais são falsas. Vou lá.

# SÁBADO, 10 DE SETEMBRO

Querido Diário,

Hoje foi o dia mais sem sentido de todos! Vamos começar do começo, porque o dia começou comigo dando o meu *Ataque Amora de ódio*.

UM ATAQUE AMORA DE ÓDIO

ALTAMENTE PERIGOSO

Isso porque quando eu acordei, a primeira coisa que fiz foi olhar para a minha mesa e adivinha? Alguém tinha tirado todas as minhas coisas do lugar. Todas mesmo!

Uma das coisas que eu mais odeio é quando mexem nas minhas coisas, então quando vi a minha mesa toda revirada, já comecei o dia sabendo que aquele dia não seria nada bom. Quase sempre não é, mas normalmente as derrotas me esperam tomar café da manhã.

Só que ficou pior, porque quando eu me levantei e fui até a mesa, percebi que além de estar tudo revirado, os meus lápis de cor tinham sumido.

E você sabe porque eu rabisco em tudo por aqui que eu não

sou nada sem meus lápis de cor, então naquele momento eu era apenas ódio.

Só sei que eu saí bufando do meu quarto e fui até o da Olivia, porque tinha certeza absoluta que ela tinha mexido nas minhas coisas. Então já cheguei no quarto dela pronta para dar uma palestra, mas, chegando lá, ela estava tão brava quanto eu.

Alguém também tinha revirado a penteadeira da minha irmã todinha e sumido com o gloss favorito dela. O que a deixou muito irritada, porque ele era de uma edição limitada de pudim de amora que nem vende mais. (E o gloss é mesmo muito bom, eu vivia pegando um pouco escondido.)

Naquele momento, tinha certeza que alguma coisa muito estranha estava acontecendo. Porém a minha barriga começou a roncar e eu sabia que não iria conseguir pensar com fome, então resolvemos descer até a cozinha, para comer e conversar com a Senhora Dulce.

E foi quando chegamos lá que veio o choque número três: a cozinha da Senhora Dulce também *estaria* toda revirada... se tivesse sobrado alguma coisa. Porque, acredite se quiser, a pessoa pegou TUDINHO da cozinha da Senhora Dulce, tudinho mesmo!

Não havia panelas, nem as colheres coloridas que ela tanto amava, muito menos os potinhos de granulado e confeitos. Até o pôster do Tritão que estava muito bem escondido tinha sumido, para o desespero da Senhora Dulce.

Tudo tinha simplesmente evaporado, igual aos meus lápis e ao gloss da Olivia, e ninguém estava entendendo nada.

Como tudo tinha sumido, tudo que nos restava era ir até o Mercado Magical fazer compras e a Senhora Dulce me chamou para ajudá-la, o que melhorou meu humor em cinquenta por cento, porque eu amo o Mercado Magical.

Só não melhorou cem por cento porque a minha barriga

ainda estava roncando de fome e eu ainda queria dar um pontapé em quem estivesse fazendo tudo aquilo.

Então eu calcei as minhas botas com desenhos de cerejinhas (guarde muito bem essa bota na cabeça, porque ela vai ser importante), coloquei um suéter bordado porque hoje amanheceu bem frio e fui atrás da Senhora Dulce.

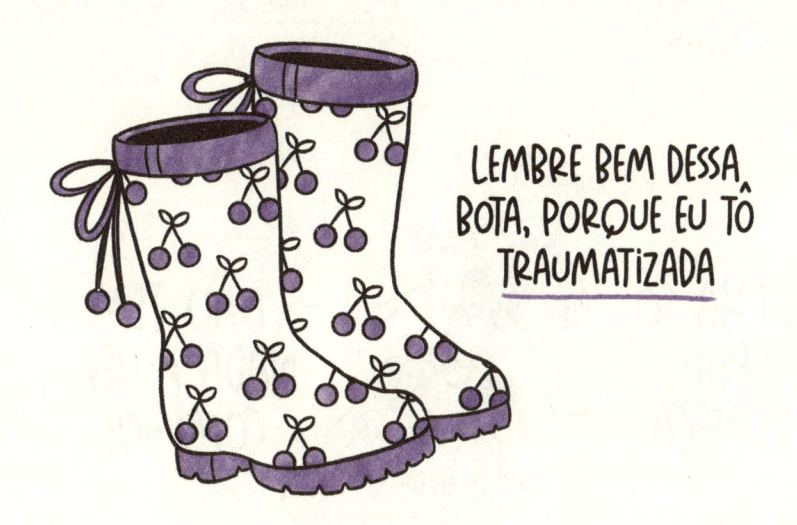

**LEMBRE BEM DESSA BOTA, PORQUE EU TÔ TRAUMATIZADA**

Assim que eu saí do castelo, aquele cheiro supergostoso de pão e baunilha veio até mim, o que dessa vez não foi nada fácil, porque eu estava morrendo de fome. Então a minha barriga ficou roncando do momento em que entramos na carruagem até chegarmos na porta do Mercado Magical.

*E ele estava lotado!* Lá dentro, todo mundo estava tão desesperado para fazer compras que até parecia que era alguma época de festa.

E olha que o Mercado Magical é imensamente mágico, então para ele parecer lotado era porque quase todo mundo do reino estava ali dentro. Ele é tão grande que parece uma cidade, cheio de lojinhas grudadas umas nas outras, onde são vendidas as mais variadas coisas de Florentia.

O cheiro dali é uma mistureba, mas já virou a marca registrada do Mercado Magical. Eu consigo sentir cheiro de rosas, enquanto ao mesmo tempo vem um cheiro forte de orégano-picante, com várias flores e ervas flutuando pelo ar.

Além disso, aqui tem muitas coisas sobre mim: bonecas, perfumes de amora, poções com o meu nome e tudo que você imaginar tem uma versão-amora nas prateleiras. As pessoas são mesmo muito curiosas sobre mim e para descobrir se eu existo mesmo ou não.

**OLHA SÓ ESSA BONECA:**

**NÃO TEM NADA A VER COMIGO!**

Ver tudo isso fez com que eu me lembrasse da minha maldição, mas logo isso se afastou da minha cabeça quando eu ouvi duas bruxas conversando do meu lado.

Uma disse que ela tinha perdido o caldeirão favorito, enquanto a outra respondeu que "eles" tinham levado todas as roupas dela, e eu percebi que ela estava vestindo uma cortina, *literalmente*.

E nesse momento você deve estar se perguntando: *quem são eles?* Porque eu também estava. Mas, calma, que você vai descobrir da pior forma possível.

Ali no Mercado Magical, a Senhora Dulce, para se concentrar

nas compras, me confiou a bolsinha dela de Florões. Então para não perder o dinheiro, apertei o saquinho bem firme nas minhas mãos e a segui até a parte de culinária.

A parte de culinária encantada do mercado é a minha favorita de todas, simplesmente porque é cheinha de doces e cheiros gostosos!

Quando chegamos lá, a Senhora Dulce foi direto olhar panelas novas e eu fui um pouco mais à frente para ver os docinhos que estavam à venda, porque a minha barriga estava roncando mais do que um porco-roncador.

Comprei um quindim-amorístico e, enquanto eu comia, a derrota começou a acontecer de vez: o meu pé dentro da bota de cerejinha começou a pinicar tanto, mas tanto, que era como se tivesse uma pedra ali dentro.

E então a minha bota começou a se mexer e uma coisa brotou de dentro dela. Quando eu percebi o que era, só consegui gritar bem alto:

# — TEM UM GNOMO NA MINHA BOTA!

E, acredite se quiser, o gnomo-sem-vergonha subiu pela minha calça, pendurou no meu suéter, voou até a minha mão e pegou o MEU QUINDIM e o SACO DE MOEDAS, depois saiu correndo!

Nem deu tempo de avisar a Senhora Dulce, porque no próximo segundo eu estava correndo pelos becos do Mercado Magical atrás do gnomo-sem-vergonha. Então era isso: o reino estava infestado de gnomos.

Nessa época do ano isso sempre acontece. É quando os gnomos começam a acordar da hibernação solar e vêm para os vilarejos pegar tudo que eles querem e, você viu, eles são terríveis e conseguem brotar em qualquer lugar. Para piorar, eles têm poder de teletransporte.

GNOMO

HOBBY: PEGAR TUDO QUE NÃO É DELES

Eu estava com tanta raiva que o gnomo tinha pegado o meu quindim (e, claro, a bolsinha de moedas) que eu fui correndo atrás dele o mais rápido possível. No fim, eu e o gnomo paramos no pátio do lado de fora do Mercado Magical, num beco sem saída. Não tinha mais para onde o gnomo fugir e eu estava pronta para pegar minhas coisas de volta.

Até que veio uma voz atrás de mim:

— Gnomildes fazendo gnominâncias! Que graciopimposo dia para aparecer!

O que me deu um baita susto e no segundo seguinte o gnomo tinha desaparecido. Eu já me virei pronta para xingar a pessoa que tinha me assustado, ainda mais falando coisas tão sem sentido.

Só que quando eu me virei eu passei de raiva-extrema-ai-que-ódio para corações no olho e brilhinhos ao meu redor, porque na minha frente estava o *Floreante Viajante!*

Tá, você não deve imaginar o impacto dessas palavras, então eu te lembro: o Floreante Viajante é aquele cara supermisterioso que todo mundo tenta encontrar e tem uma das lojas mais incríveis de toda Florentia!

Ele sempre tem as coisas mais mágicas, legais e pirimposas da galáxia todinha, porém ninguém sabe nem onde nem quando ele vai aparecer. Então ele simplesmente estar na minha frente era uma chance em um trilhão e por isso toda a minha raiva sumiu!

# FLOREANTE VIAJANTE

- CHAPÉU ALADO
- MAQUIAGEM ICÔNICA
- CAPA ESTILOSA
- CHEIO DE MISTÉRIOS

O *Fofocas da Torre* já tentou descobrir de todas as formas quem é ele, mas até hoje ninguém conseguiu e isso é um enigma por aqui e ele simplesmente me deu um presente e agora está parado bem na minha frente! Pelo menos com alguma coisa eu tinha que ter sorte.

— Hum, sinto cheiro de... estátua espatifada. E suco esparramado. — Foi o que ele disse. — Ah, é só uma sombrinha, sobrinha, digo garotinha. Venha, garotinha!

É, acho que você percebeu que ele fala muitas coisas sem sentido, mas eu estava toda animada e fui correndo para dentro da loja.

Ali dentro era apertado, mas cheio de inúmeras prateleiras que pareciam ir até o céu cheias das coisas mais legais e inusitadas, e nenhuma dessas coisas você encontra em outro lugar do reino.

Havia bolsas infinitas de diferentes coisas fofas, como a de cogumelo da Lila e outras com formatos estranhos, tipo lesmas e caracóis; potes de caramelos-saltitantes que não paravam de balançar dentro do vidro; e bolas de sorvete flutuantes que voavam pelo ar. Também havia mais e mais fileiras de barras de chocolate magicamente infinito, que você morde e não acaba nunquinha!

— Ah, você é a Amora da amizade graciopimposa da Festa Solar! Olha só que destino engraçado — falou o Floreante, enquanto afastava com as mãos uns sorvetes flutuantes.

Eu olhava tudo aquilo admirada, mas uma coisa estranha me chamou a atenção: uma bola bem misteriosa em cima da mesa que brilhava como se estivesse cheia de purpurinas. Quando me aproximei, as purpurinas começaram a dançar dentro da bola e a formar uma imagem estranha que parecia um guarda-chuva.

— Oh, isso quer dizer maldição, maldição das grandes, maldição estratosférica... Ou que você vai tirar nota dez na prova! Boa sorte!

Foi o que o Floreante disse já me empurrando e me guiando para a saída da loja, sem mais nem menos. Só que o que ele disse me deixou muito curiosa, então eu estava mais ou menos assim:

MALDIÇÃO? QUE MALDIÇÃO? FALA MAIS DA MALDIÇÃO!

Mas ele não me respondeu, só continuou me guiando até a porta da loja, até que parou em frente a uma prateleira, pegou um folheto curioso e me entregou, dizendo:

— Toma isso, vai precisar.

— Que... Quando você volta? — perguntei.

— Na sexta quando der dia 35, de manhã perto da meia-noite, tchau!

No segundo seguinte a porta da loja-carroça estava fechando na minha cara e quando eu pisquei o Floreante Viajante já não estava mais na minha frente. A única coisa que provava que aquilo tinha sido real era o estranho folheto que estava na minha mão.

ELE É ASSIM

E A MINHA CARA É ESSA OLHANDO PRA ISSO

Tá, o Floreante também falou de maldição... E tem a minha história... Será que isso quer dizer que a minha história é mesmo real? E o que significa esse folheto estranho e por que eu vou precisar dele?

Eu só sei que eu não estou entendendo nada, nadica de nada.

E toda essa atmosfera misteriosa ficou ainda mais quando eu resolvi voltar para o Mercado Magical. Porque quando eu dei o meu primeiro passo, acabei pisando em um saquinho.

O saquinho de moedas da Senhora Dulce que o gnomo-sem--vergonha tinha pegado! Do lado dele também tinha os meus lápis de cor, o gloss da Olivia e também tinha esse bilhetinho:

O quindim não consegui salvar... Mas leia o folheto!

E como tudo isso já estava sinistro o suficiente, eu só obedeci e guardei o folheto no bolso... Mas como o Floreante sabia que os gnomos tinham pegado essas coisas de mim? Principalmente os lápis e o gloss da Olivia? E ele falou sobre maldição... *E esse folheto?!*

Hoje foi sem dúvidas o dia mais sem sentido de todos!

## QUINTA, 22 DE SETEMBRO

Querido Diário,

Hoje minha mãe finalmente voltou para casa e disse que ia passar a próxima semana comigo e com a Olivia. Mas ela parece... diferente.

Você sabe, ela é a rainha inabalável, então para eu perceber que ela está diferente, quer dizer que tem alguma coisa bem ruim acontecendo. A minha mãe suportou centenas de bradadores soltando gritos aterrorizantes e ela sequer estremeceu, então o que quer que seja, deve ser horrível.

E eu não posso deixar de imaginar o que é: será que aconteceu alguma coisa com os ovos? Será que ela recebeu alguma notícia ruim? Será que a vidente teve outra visão? Será que Pandora vai voltar?

Não. Essa é só uma história sem sentido que inventaram...

Eu não tive coragem de perguntar para a minha mãe sobre a minha história, tudo que eu consegui falar com ela foi sobre a roupa da Lila para o Festival Outonal. A minha mãe amou a roupa que eu desenhei, mas deixou claro que eu estava proibida de ir ao Festival (como eu já imaginava).

Então a minha mãe criou a roupa em um passe de mágica e pediu para que uma carruagem a entregasse na casa da Lila, e voltou a ficar estranha e triste como antes.

Enquanto isso, eu também não consigo parar de pensar no meu encontro com o Floreante e o quanto que tudo aquilo foi sinistro e muito misterioso.

Sim, eu li o folheto e ele é ainda mais sem sentido por dentro! Porque ele é um tutorial de *"como empurrar um barril com o braço machucado"*, que eu não faço a mínima ideia de por que eu vou precisar disso, além de que ele é um péssimo tutorial.

Ele é assim:

## COMO EMPURRAR UM BARRIL COM O BRAÇO MACHUCADO?

1- Empurre o barril. Mas seu braço está machucado, então não vai dar certo.

2- Faça uma poção de superforça e ande sempre com ela!

*NÃO AUTORIZADO POR FLORENTIA*

Viu, é um péssimo tutorial e ele nem ensina como fazer essa bendita poção de superforça, e para que riachos eu vou precisar empurrar um barril?

Então, no momento vou deixar esse folheto colado aqui, porque ele é completamente inútil e eu tenho problemas maiores para tentar resolver no momento do que as coisas sem sentido do Floreante.

## SEXTA, 30 DE SETEMBRO

Tudo bem.

Eu admito que não consegui parar de pensar nas coisas sem sentido do Floreante, ainda mais depois de ele ter falado da maldição. Então, eu resolvi reler a minha história.

Eu peguei o livro que a Senhorita Yara me deu e reli tudo, só que dessa vez, eu tentei esquecer que aquela história era sobre mim e apenas li cada palavra como se fosse uma outra história qualquer.

Então, eu percebi: mesmo eu não querendo admitir, aquilo fazia sentido... Algo na história parecia se conectar com outra coisa que eu já tinha ouvido antes. Eu sabia que alguma coisa ali não era novidade para mim... E eu me lembrei.

A profecia.

*Fogo, água e um longo rastro de ruínas, enquanto a destruição retorna para a fonte.*

Eu e a Lila não conseguimos entender o que significava essa tal destruição retornando para a fonte, mas agora relendo a minha história, eu entendi tudo: essa parte fala sobre mim e a minha maldição.

A destruição que a Pandora tirou de mim voltaria caso o reino conhecesse meu rosto, e era justamente sobre isso que a profecia falava: a destruição retornando para a fonte. A destruição voltando para *mim*.

Então se a profecia era verdade, a minha história também era, porque juntas elas completam as peças que faltavam, mas...

Por que a minha mãe escondeu tudo isso de mim? Por que ela não me contou que eu já tinha uma maldição? Por que ela não me preparou para tudo isso?

A destruição voltaria para mim e a morte reencontraria sua fonte, e a minha mãe sabia disso... Ela sabia que...

A morte me encontraria.

E de acordo com a profecia, isso pode acontecer em qualquer dia de outubro, que já começa amanhã... E... Eu estou com medo.

Naquela hora eu acabei me lembrando de outra coisa: as palavras que o Floreante me disse depois de olhar para aquela bola de cristal e o folheto que ele me deu dizendo que eu ia precisar.

E não faz sentido nenhum, mas e se eu precisar mesmo "empurrar um barril com o braço machucado"? Então eu resolvi perguntar para a Olivia se ela já tinha aprendido a fazer uma poção de superforça na escola, e sabe o que ela me disse?

MOLEZA, EU APRENDI NO MATERNAL!

O que eu aprendi no maternal: o que era um círculo e o que era um quadrado.

A única parte difícil da receita da poção de superforça era encontrar um ingrediente bem complicado: um objeto tocado por um gnomo. O que dessa vez foi bem fácil, já que praticamente todos os meus lápis tinham sido tocados por um gnomo.

Assim sacrifiquei o meu lápis vermelho, que eu quase não uso, e na próxima hora eu tinha na minha mão uma (não tão cheirosa) poção de superforça. Então resolvi seguir o conselho do folheto: fiz uma poção e ia andar sempre com ela, caso a maldição aconteça e por algum motivo eu precise disso.

Mas eu estou com medo...

Agora fico aqui, ouvindo as músicas da Rainha Noturna no fone de ouvido. Se ela foi corajosa quando tinha a minha idade, eu também consigo... Eu também consigo.

## SÁBADO, 1º DE OUTUBRO

Querido Diário,

Hoje é o dia do Festival Outonal, a minha festa favorita de todas de Florentia, e como era de se esperar, minha mãe não nos deixou ir. Ela não está em casa, mas deixou ordens rigorosas para a Senhora Dulce não nos deixar nem sair do nosso quarto hoje.

**ATÉ A PRINCESA DO CABELÃO TINHA MAIS LIBERDADE**

Eu sei que, mesmo minha mãe não me contando, ela sabe o que vai acontecer comigo e sei que durante todo esse mês ela vai tentar me proteger com todas as forças, como ela sempre faz... Mas, é inevitável.

A profecia já foi feita, não tem como fugir.

Então, as opções são: ficar no meu quarto chorando com medo e esperando o dia da profecia chegar ou... ir para a festa escondida, passando pelo buraco da parede do meu quarto e me divertir.

Não sei você, mas eu escolho a segunda opção.

E se você escolhe a primeira, é porque você ainda não conhece o Festival Outonal – quando você conhecer, você vai concordar comigo.

*Primeira coisa:* no festival todo mundo pode se fantasiar do que quiser, como se fosse uma grande festa à fantasia, só que bem melhor, porque vêm pessoas de todo o reino para a festa, então são muitas fantasias legais.

A única regra é que algo da sua fantasia tem que ser vermelho – por causa de uma lenda antiga que diz que as assombrações que vagam pela terra no dia do festival não assombram quem usa vermelho.

Infelizmente não vou poder desenhar as coisas vermelhas por aqui, porque meu lápis vermelho virou poção de superforça.

*Segunda coisa:* as comidas são maravilhosamente, estrondosamente e magicamente gostosas! Por alguma razão, as comidas do Festival Outonal só são feitas no festival, então eu fico o ano todo morrendo de saudade de comer essas gostosuras!

*Terceira coisa:* hoje tem o show especial da Rainha Noturna e eu não posso perder isso por nadinha! Ela faz poucas apresentações no ano, então não posso perder essa oportunidade.

E hoje há zero chance de ser o dia da profecia, já que fez sol o dia todo e agora de noite o céu está bem estrelado, sem nuvens e zero risco de chuva. E a profecia falava de chuva, então sem chances de ser hoje, e com certeza não vou perder a oportunidade de ir ao meu festival favorito.

A Olivia, então, já está aqui no meu quarto, e no momento está testando milhares de opções de fantasias na frente do espelho.

*Eu já escolhi a minha:* vou me fantasiar daquela menina da última fofoca. A da capa vermelha que não sabe diferenciar um lobo da vovozinha. Então tudo que eu tive que fazer foi pegar uma capa vermelha. Enquanto me arrumo, aproveito para guardar a poção de superforça bem segura dentro da minha bolsa.

**CESTINHA FOFA PRA POEIRINHA**

**CAPA VERMELHA ESTILOSA**

DEBAIXO DA CAPA: uma bolsa com a poção de superforça e muitos florões para comprar MUITOS doces!

E falando em poção, hoje eu vou estrear a poção transcrevedora que a Senhorita Yara me deu para você saber tudinho que acontecer, em tempo real.

Calma...

Pronto. Joguei umas gotinhas na minha mão, agora vou te segurar e tudo que for escrito a partir de agora foi a poção que escreveu (espero que isso funcione).

A  B  C ...

— Por que você tá segurando o diário como se ele fosse feito de chocolate? — A Olivia diz, o que me faz soltar o diário assustada.

Então eu olho para as páginas e, SIM, está funcionando. Tudo está se escrevendo magicamente sozinho no diário.

E isso é muito estranho, porque ele está escrevendo exatamente como eu escreveria e até o que eu estou pensando... Oi, Diário, agora eu estou pensando em um elefante cor-de-rosa em cima de uma bicicleta fazendo malabarismo com abacaxis...

Socorro, isso é muito bizarro.

TÁ, SÓ QUE A POÇÃO DESENHA MUITO MAL... MELHOR EU NÃO PENSAR EM DESENHOS

— Você tá olhando pro diário como se fosse dar uma mordida nele... Isso tá me assustando.

Reviro os olhos para a Olivia e nesse momento a Nebulosa

passa correndo pelo quarto, enquanto a Poeirinha vem atrás, tentando acompanhar.

A Nebulosa literalmente dobrou de tamanho nessas últimas semanas e mal cabe em uma mochila agora, então a Olivia anda com ela em cima dos ombros para cima e para baixo, como se fosse um cachecol, mas acho que logo, logo isso não vai ser mais possível.

*OLIVIA*

*POR FAVOR, POÇÃO,*

*PARE DE DESENHAR!*

*NEBULOSA*

Fecho então o meu diário e escondo ele dentro do meu guarda-roupa, debaixo das minhas meias, no lugar onde eu sempre o deixo escondido. Droga... Agora todo mundo sabe meu esconderijo secreto.

— Olivia, anda logo, o Festival já deve ter começado — apresso a Olivia, que agora está criando fantasias para a Nebulosa com magia.

— Tá bom, estamos prontas!

E eu não faço ideia do que são as fantasias da Olivia e da Nebulosa: a roupa dela é um vestido branco com vermelho, bem rodado, com uns pompons vermelhos na frente e um colar branco bem grande de renda, já a Nebulosa está usando uma roupa toda vermelha.

— E o que é isso? — digo apontando para a roupa dela.

— Eu sou uma palhaça do mal que vende balões e a Nebulosa é um balão vermelho. — *Ok... que específico.* — E você não vai se arrumar, não?

— Já tô pronta. Vou vestida como aquela menina que confundiu um lobo com a avó dela.

— Não tem nada mais interessante, não?

— Ai, Olivia, vamos!

Coloco, então, a Poeirinha dentro da minha cesta e começo a empurrar a casinha dela, revelando o buraco na minha parede, o que deixou a Olivia bem chocada.

Não demora para eu e a Olivia chegarmos do outro lado e do estábulo corremos o mais rápido possível para nos escondermos atrás de uma carroça que estava saindo do castelo para entregar suprimentos no festival.

Depois de alguns minutos, nós chegamos na Praça Central e finalmente o Festival Outonal estava na nossa frente!

A primeira coisa que eu noto é o cheiro incrível de abóbora e caramelo que está no ar. Esse é um dos melhores aromas que eu já senti na minha vida todinha e eu sempre conto os dias pro festival só para senti-lo de novo.

A segunda coisa que eu noto é a música assombrosa ecoando, com flautas, violinos e tambores, enquanto percebo o quanto a decoração desse ano está linda!

Tem abóboras esculpidas pelo chão, velas-mágicas flutuando pelo ar e decorações com fantasmas espalhados pelas árvores.

— Como combinamos, hein! Dez horas você me encontra

aqui, debaixo dessa árvore, para irmos embora! — digo para a Olivia, que nem estava mais prestando atenção em mim, e só queria sair correndo para encontrar as amigas. — Olivia!

— Tá bom, tá bom, dez horas, tchau! — E ela sai correndo.

Eu e Poeirinha, então, aproveitamos para também ir encontrar a Lila que disse que estaria perto da fonte da Grã-Rainha Edwina e assim que eu chego lá, nem preciso procurar muito por ela.

A Lila está linda como sempre, usando o vestido que eu desenhei para a apresentação dela e que a minha mãe fez com magia! De longe eu a percebo balançando as asas do vestido toda saltitante e feliz.

Quando ela olha para mim e percebe a minha fantasia, ela ri.

— A menina que não sabe o que é lobo e o que é vovó, amei, mas como que bulhufas ela não sabia que era um lobo usando roupa?

— Eu não sei. — Dou de ombros, rindo. — E você conseguiu trazer os dragões-libélulas?

— Sim, eu prometi ver alguns filmes de comédia com eles quando a gente voltasse... Mas eu tô muito nervosa, olha, eu tô tremendo!

— Sabe o que ajuda? — pergunto e ela dá de ombros curiosa. — Comer os doces mais gostosos do mundo todinho.

E é nesse momento que eu levanto meus olhos e vejo a barraquinha de Suco de Pudim de Amora. Calma, porque essa é a melhor bebida de todas! Ela foi criada em minha homenagem e ela só é fabricada e vendida pela empresa Suco & Socos durante o Festival Outonal.

A Suco & Socos faz sucos esmagando as frutas com socos de ogros, o que deixa com um gostinho bem especial, então faz o maior sucesso por aqui. E, assim, eu e a Lila corremos até a fila para conseguir uma garrafinha.

Sério, beber esse suco é como pular de trampolim dentro de um pudim de amora bem doce com chantilly no topo, enquanto ouve mil passarinhos cantando uma música bem linda, ou seja, é perfeito!

Então, ali na fila, toda animada eu ouço atrás de mim:

— Só você mesmo pra gostar dessa coisa nojenta.

Eu não preciso nem me virar para saber quem é que está me falando isso, mas eu viro mesmo assim para encarar a cara malvada dele.

Porque, sim, ali está o Scorpio. Ele está usando uma fantasia de caveira com um colete preto por cima de uma camisa branca e no rosto umas pinturas de ossos. Não tem nada vermelho na roupa dele, ainda bem, porque assim as assombrações o pegam de uma vez.

— Ai, Scorpio, não fala comigo, as pessoas vão achar que somos amigos — resmungo.

Scorpio nem respondeu, só deu um sorriso maldoso como sempre e sai andando. Eu quero dar um chutão na canela dele, porque é isso que o Scorpio me faz, apenas raivas, mas o meu ódio é interrompido por uma voz ecoando pelo festival:

— Inscritos do Concurso de Talentos, dirijam-se para a região do palco, o concurso começará em breve.

Eu olho para a Lila e ver ela toda empolgada, faz a minha raiva sumir.

— Vai lá, eu compro uma garrafinha pra você! — digo para a Lila, enquanto a abraço e desejo boa sorte.

Depois de longos minutos de espera, eu finalmente consigo comprar duas garrafinhas de Suco de Pudim de Amora. Imediatamente a Poeirinha ficou vermelha e começou a resmungar, porque eu tinha esquecido dela.

Então enquanto eu tento convencê-la, de não me dar uma

mordida e prometo dividir minha garrafinha com ela, eu vou até a região do palco para esperar pelo início do concurso.

O curioso é que do meu lado tem uma menina com fantasia de princesa Amora e eu não posso deixar de observar o quão engraçado é o jeito que as pessoas me imaginam: ela está usando um enorme vestido bufante e uma coroa bem cintilante, o que eu nem uso para não ficar na cara que eu sou uma princesa.

Não demora para o famoso apresentador Tritão aparecer no palco com seu enorme sorriso de sempre, seu topete gigante (porém charmoso) e com uma fantasia estilosa de rei da abóbora. O Tritão sempre é o apresentador das atrações do palco do Festival Outonal e ele sempre é a estrela da festa.

Porém, para a tristeza da Senhora Dulce (e de toda Florentia), ele está de camisa.

— Boa noite, povo de Florentia! — fala com todo seu charme, o que já arranca aplausos da plateia. — Mais um ano de Festival Outonal, hein? Parece que foi ontem que apreciamos aquele precioso acontecimento...

Todo mundo cai na gargalhada e eu não posso deixar de rir também. "O que aconteceu no festival passado, fica no festival passado" – é o lema que surgiu depois do incidente da festa anterior, então, desculpa, não posso contar o que aconteceu.

— Hoje temos diversos talentos para se apresentar no palco, então abram alas para Lila e os dragões-libélulas.

Ele mal termina de anunciar e eu já estou gritando, aplaudindo e falando pra *falsa-princesa-amora* do meu lado que "Olha, é a minha melhor amiga!" enquanto ela me olha com uma cara de "quem é você?".

Quando a Lila entra no palco, rodeada pelos dragões-libélulas, ela faz toda plateia soltar vários sons de admiração. Isso porque os dragões-libélulas brilhavam ao redor dela e faziam a Lila flutuar como se fosse uma deles, igual a uma cena de filme, além de que quase ninguém ali tinha visto um libélula antes.

Então no palco ela começa a fazer todos os truques que ensaiou com os dragões, que faziam a Lila girar e rodopiar pelo ar de vários jeitos legais que até parecia que ela estava voando mesmo.

Quando ela acabou, parando no meio do palco e os dragões-libélulas saíram voando do palco no meio da plateia, todo mundo aplaudiu e gritou muito, e eu já estava quase sem voz de tanto gritar.

— Que apresentação mágica! A jovem Lila fez a proeza de apresentar os dragões-libélulas, os animais mais tímidos de Florentia, para todos nós essa noite! Mais uma salva de palmas!

Eu grito e assobio mais uma vez, e dessa vez eu não sou a única completamente encantada pela Lila, já que todo mundo também assobia e várias pessoas gritam "Lila, Lila!". Minha melhor amiga é maravilhosa!

— E agora abram alas para Scorpio e a máquina ultrassônica transmissora de sons.

Ok, parei de aplaudir. Só o Scorpio mesmo para inventar um nome megachato desses.

No palco, ele apresentou a nova criação dele: uma máquina que era capaz de transmitir sons para todo o reino pelo ar.

Bastava apertar um botão e todo som perto do microfone da máquina poderia ser ouvido até no local mais distante de Florentia – o que tenho que admitir, era uma máquina legal, que poderia ser usada para transmitir recados pelo reino de forma bem mais rápida.

Interessante, porém muito chato para um concurso de talentos e todo mundo na plateia estava bocejando com aquele monte de explicações científicas – e eu não me daria o trabalho de dar nenhuma palma.

Depois da saída do Scorpio do palco, várias outras pessoas se apresentaram, com talentos desde cantar até empilhar milhares de pratos em uma vareta fininha enquanto faz sapateado e canta ópera.

Sim, isso foi inusitado.

Então finalmente chega o momento mais importante da noite: escolher quem leva o prêmio de pessoa mais talentosa de Florentia do ano. Todos os competidores voltaram-se ao palco para que a plateia pudesse aplaudir mais para quem foi o melhor e, claro, na vez da Lila ela foi a mais aplaudida de todas.

— E a pessoa mais talentosa do reino esse ano é... — O suspense do Tritão quase faz meu coração sair pela boca. — Lila e os dragões-libélulas!

Eu aplaudo e grito tanto que com certeza amanhã eu não vou ter voz para nada. O melhor de tudo é a profunda cara de tristeza do Scorpio, mas admito que isso nem importa mais – o que importava era que a Lila tinha ganhado, estava feliz e tinha mostrado para Florentia as incríveis criaturas que temos por aqui.

Do palco, a Lila me encontra na multidão, e eu mando vários beijos para ela, enquanto ela ri. Tudo que eu queria era dar um abraço na Lila, mas agora ela tem obrigações de campeã, como tirar fotos para o *Jornal Florim* e depois dar uma entrevista para o *Fofocas da Torre*.

Então resolvo ficar perto do palco, porque agora vem a próxima atração da noite: o show da Rainha Noturna (e a minha barriga está revirando de tanto animação e ansiedade)!

— Agora tenho a honra de chamá-la! — Tritão diz e meu coração acelera no mesmo momento. — Florentia, abram alas para...

As luzes, então, se apagam e a voz dela começa a ecoar de fundo, cantando algumas melodias soltas pelo ar, como se fosse uma canção de ninar distante que eu tenho a impressão que já ouvi antes.

A voz da Rainha Noturna ecoa e quando o último eco se espalha pelo ar, o Tritão a chama:

— Rainha Noturna!

A plateia aplaude e grita, enquanto a Rainha Noturna surge no palco e duas luzes coloridas se acendem em direção ao céu.

O vestido preto e brilhante dela cintila como a noite e na cabeça ela usa uma coroa pontiaguda, como se fosse feita de pedras afiadas e com algumas flores azuis.

Algo nela está... *diferente*.

Primeiro, sinto o cheiro de fumaça ao meu redor e, depois, eu os vejo surgindo da escuridão atrás dela. No primeiro segundo eu acho que comi muito doce e estou vendo coisas, mas... pela cara de espanto da *falsa-princesa-amora* ela também está vendo o mesmo que eu.

Cinco criaturas enormes aparecem atrás da Rainha Noturna, envoltas por chamas e fumaças, como se fossem enormes lobos, porém feitos de fogo e cinzas. Só de olhar para eles me arrepio toda.

Então eu noto: são cinco criaturas.

*Eles são os ovos.*

— Florentia, chegou o dia de vocês conhecerem sua verdadeira rainha... — A Rainha Noturna levanta uma das mãos enquanto solta uma melodia pelo ar, o que faz um dos enormes lobos pular sobre a plateia e parar do lado da fonte da Grã-Rainha Edwina.

O cheiro de fumaça dos lobos chega até mim, eu quero tossir, mas não consigo me mover. Todo mundo também está paralisado, tentando entender o que está acontecendo, enquanto o lobo rodeia a fonte e rosna, apenas esperando ordens.

— Vocês conhecem a minha história... Uma pobre menina que foi largada pela própria mãe no campo de flores envenenadas para morrer.

A voz da Rainha Noturna ecoa com força, enquanto ela toca

as flores azuis na coroa... Então eu percebo: são as flores de Florentia!

— Quantas vezes eu já ouvi que a minha mãe era um monstro por ter feito isso comigo... — A gargalhada dela preenche o ar, me enchendo de arrepios.

*Cadê... a Rainha Noturna que eu conheço...? Ela só pode estar enfeitiçada, ela...*

— Ela quis se livrar de mim *por vocês*. Ela viu em uma de suas visões que eu seria a ruína de Florentia... Então, sim, ela estava certa.

A Rainha Noturna, então, cantarola mais uma melodia solta pelo ar, o que faz o lobo rosnar com toda força para a estátua da Grã-Rainha Edwina na fonte. No próximo segundo, a forma do lobo fica embaçada e eu percebo que agora ele é uma cobra enorme e assustadora, ainda feita de fogo e fumaça.

As criaturas podem mudar de forma!

Com um sorriso, a Rainha Noturna fecha os punhos e a cobra envolve toda a estátua da Grã-Rainha Edwina, apertando, como se aquilo não fosse nada, até que a estátua se destrói.

Isso faz a fonte quebrar em milhares de pedaços. Quebrada, a água começa a voar em todas direções, como um chafariz, e quando as primeiras gotas da água caem no meu rosto, eu percebo a segunda coisa.

*Fogo, água e um longo rastro de ruínas.*

A profecia... está acontecendo.

Eu sinto o chão estremecer, eu quero correr, todo mundo quer, mas ninguém consegue se mexer. A Rainha Noturna está controlando as criaturas e nós ao mesmo tempo, como se todos fôssemos marionetes na mão dela.

Ela gargalha mais uma vez vendo a estátua aos pedaços.

— Hoje eu apresento para vocês o monstro, a culpada de tudo isso...

A Rainha Noturna faz um movimento como se estivesse puxando algo do céu e ela aparece. A Grã-Rainha Edwina, que nunca mais foi vista desde que minha mãe assumiu, amarrada por um feitiço e voando pelo ar.

A Rainha Noturna a faz parar bem do seu lado no palco.

— A Rainha Edwina. A *minha* mãe.

Essa fala faz todo mundo parar de respirar e pela forma como a Rainha Edwina abaixa a cabeça com vergonha, é o suficiente para ninguém questionar se é verdade ou não.

A Rainha Edwina tinha uma herdeira. A Rainha Edwina... mentiu esse tempo todo.

— Eu sou Pandora, a verdadeira herdeira de Florentia e hoje vou pegar de volta o que nunca deveriam ter tirado de mim.

*Pandora.* Esse nome me atinge com força como se fosse uma pedra e me deixa tonta, como se o mundo estivesse girando rápido demais.

O zumbido dentro do meu ouvido é insuportável.

Era a Rainha Noturna todo esse tempo. Ela quem me salvou, ela quem jogou a maldição em mim, ela é a pessoa que a minha mãe e a vidente tanto temiam.

A vidente. Wina. *Edwina.*

Tudo começa a fazer sentido na minha cabeça e todas as peças se encaixam: era a Rainha Edwina naquele dia. Eu sinto meus olhos se encherem de lágrimas.

Mas antes que eu possa pensar melhor, a Rainha Noturna abaixa uma das mãos e eu sinto finalmente meu corpo de novo.

— Corra, Florentia, porque isso não vai acabar nada bem.

E assim, os outros lobos se transformam em cobras gigantescas e pulam sobre nós, rastejando e destruindo tudo pelo caminho.

Nesse momento, todo mundo começa a fazer o que queria desde o começo: fugir. Obrigo meus pés a correrem o mais rápido que eu consigo no meio da multidão, enquanto eu abraço a cesta da Poeirinha para protegê-la e o ar se enche de gritos e medo.

A Lila está no estande de fotos. A Olivia, eu preciso achar a Olivia... E cadê a minha mãe? Os ovos. Ela estava com eles e se as criaturas estão aqui... Algo deve ter acontecido com ela.

Eu preciso fazer alguma coisa... Minha mãe não está aqui, a Rainha Edwina está presa, eu sou tudo o que restou para Florentia. Mas... O que eu poderia fazer?

— Princesa Amora... — A Rainha Noturna diz o meu nome como se estivesse cantando uma música e isso me faz congelar. — Eu sei que você está aqui, você não estava no seu quarto como a mamãe mandou...

Ela foi no castelo me procurar... Ela me quer.

Eu respiro fundo, tentando me acalmar. Ela não sabe quem eu sou, não tem como ela saber. Ela *não* vai me encontrar fácil.

Antes de qualquer coisa, preciso saber se a Lila e a Olivia estão bem. Então faço meus pés correrem rápido até o lado leste da praça, enquanto tento manter o fôlego respirando tanta poeira e fumaça.

Ao meu redor, eu vejo as criaturas se transformando em diferentes animais enormes e destruindo tudo pelo caminho: as lojas, os postes, o piso. Tudo que as criaturas tocam é esmagado e envolvido por fumaça e destruição. Tento ignorar os gritos ao meu redor e tento me concentrar, porque mais do que nunca preciso de um plano.

Até que eu ouço a explosão do meu lado.

E no próximo segundo eu estou sendo arremessada e caindo no chão com toda força. A minha cabeça dói pelo impacto, a minha visão fica completamente embaçada e tudo que eu ouço é distante, como se fosse um sonho.

A primeira coisa que eu faço é olhar ao redor procurando pela Poeirinha, mas a minha cesta está vazia e ela não está perto de mim. Não consigo gritar por ela. Todo meu corpo dói.

Até que eu sinto o cheiro de fumaça e ele aparece na minha frente. Uma das criaturas se transformando em lobo gigante me olha como se eu fosse a próxima coisa que ele precisa destruir.

Não é hora de eu pensar nisso, mas com certeza, eu jamais na minha vida confundiria isso com uma vovozinha...

O lobo se aproxima de mim mostrando os dentes enormes e afiados, mas a minha cabeça está girando e doendo tanto que eu mal consigo manter meus olhos abertos.

Ele abre a boca imensa e vem correndo até mim, mas antes que ele chegue, alguém pula entre nós.

A pessoa encara o lobo e meus olhos fecham. No próximo segundo a pessoa está me ajudando a me levantar e eu só posso estar delirando, porque é o Scorpio.

— Tira essa capa ridícula, eles se orientam pela cor vermelha.

E no outro segundo, estou sozinha de novo e sem a minha capa vermelha.

*Isso foi real? Ou eu bati a cabeça com força demais?*

Tento forçar meus pés a andarem até o estande de fotos, mesmo ainda cambaleando e o meu braço doendo mais do que tudo. *Eu preciso ser forte. Eu preciso ser corajosa.*

Se hoje é meu último dia, que seja salvando o meu reino.

— Nebulosa, cuidado!

A voz da Olivia chama minha atenção, fazendo o meu coração se acelerar e a minha tontura sumir, enquanto olho ao redor tentando descobrir de onde a voz dela está vindo.

Eu a encontro dentro de um círculo de fogo com a Nebulosa, na frente de várias criancinhas, protegendo-as e tentando impedir que as labaredas chegassem até as crianças.

Minha irmã tenta apagar as chamas com magia de ar, porém isso só faz elas aumentarem ainda mais de tamanho, enquanto a Nebulosa as devora como se não fosse nada... Porém, não é o suficiente e o círculo de fogo não diminui, elas não têm para onde fugir.

Do lado de fora, eu vejo a Poeirinha pulando e tentando fazer alguma coisa, preocupada com a Nebulosa, assim como eu estou com a Olivia... *Eu preciso fazer alguma coisa!*

Olho ao redor procurando algo que poderia ajudar, até que algo se acende na minha cabeça e eu me lembro do dia que vi o Floreante... Ele disse que sentia cheiro de estátua espatifada e suco esparramado e, sim, uma estátua foi espatifada. O folheto de "Como empurrar um barril com o braço machucado" e, sim, estou com o braço machucado.

Suco esparramado... Empurrar barril. *Isso*. Barril de suco.

Corro até a barraquinha de sucos, que está aos pedaços, e ali encontro um único barril ainda intacto. Eu tento tocar nele, mas sequer consigo mexer o meu braço direito... A boa notícia é que eu li muito bem aquele folheto estranho, então peguei a poção de superforça na minha bolsa e bebi tudo de uma vez só.

Em um segundo, eu já me sentia superforte, como se eu fosse uma gigante poderosa. E com um braço só, eu consegui empurrar o barril até chegar perto do círculo de chamas.

— Olivia! — grito, o que a faz olhar para mim. — Eu vou rolar esse barril aí para dentro, quando ele estiver perto do fogo, jogue uma magia de cola irreversível nele para ele não se mexer. O suco vai molhar o fogo e quando diminuir, vocês saem correndo!

Eu tiro a tampa do barril e o empurro sem nem precisar fazer força, enquanto a Olivia se prepara para jogar a magia na hora certa. Assim que o barril chega na linha das chamas, a magia é lançada e ele fica imóvel, despejando o suco pelo fogo.

Isso faz um pequeno espaço sem chamas se abrir e a Olivia

começa a guiar as crianças para o lado de fora, enquanto fala para elas correrem para fora da praça. Já em segurança, Olivia vem correndo me abraçar, enquanto a Poeirinha vai até a Nebulosa toda feliz.

— Cadê a mamãe? Cadê as guerreiras? — É o que ela pergunta assustada e eu queria ter resposta para isso.

— Eu não sei, mas nós precisamos ajudar todo mundo enquanto elas não chegam e eu preciso encontrar a Lila.

Aproveito para tirar tudo de vermelho da roupa dela, enquanto eu conto o que o Scorpio me disse. Se fosse em qualquer outra ocasião, eu duvidaria do Scorpio, mas o que quer que ele tenha feito salvou a minha vida, então eu preciso acreditar nele.

Pego a Poeirinha no colo e eu e Olivia corremos até o outro lado da praça, enquanto a voz da Rainha Noturna continua dançando pelo ar, cantando de forma assustadora como se ela quisesse hipnotizar todo o reino.

De longe, meus olhos encontram os dragões-libélulas voando e não demora para eu encontrar a Lila ao lado deles.

Uma das criaturas, em forma de lobo, está perto dela.

Ela está encolhida debaixo dos destroços do que era o estande de fotos, tentando se proteger do lobo, enquanto os dragões-libélulas a rodeiam tentando fazer algo.

Do chão, eu pego um pedaço de pedra e miro na criatura.

— Ei, deixa ela em paz! — Lanço a pedra em direção ao lobo, mas ela é envolvida pela fumaça da criatura e ele sequer sente.

— Am-Florentina! É o Onyx... Ele não é malvado igual aos outros — Lila diz e quando eu me aproximo mais, vejo que a perna dela está presa debaixo de uma madeira e por isso o Onyx está na frente dela.

A voz da Edwina ecoa na minha cabeça: *proteja o número seis*. E agora eu entendo, de alguma forma a Lila conseguiu tirar a maldade de dentro da criatura e ele não é igual aos outros.

Ele realmente pode ser nossa salvação.

Corro até a Lila para tirar a madeira pesada de cima da perna dela, mas o efeito da poção de superforça acaba e o meu braço volta a doer como nunca.

— O que aconteceu com seu braço? — Lila pergunta, preocupada.

— Eu caí em cima dele, tá tudo bem... Olivia, você consegue fazer essa madeira voar pelos ares, né? — peço para a minha irmã, e sem nem pensar, ela faz a madeira pesada sair de cima da perna da Lila.

A Lila se levanta, e eu noto que a bolsa de cogumelo vermelho dela está arremessada do outro lado.

— É, eles se atraem pela cor vermelha... Eles são bem parecidos com os boitatás, só que malvados. Nada pessoal, Onyx — Lila diz e o Onyx dá uma bufadinha para ela.

E então nós ouvimos.

O chão começa a chacoalhar e de longe eu vejo as criaturas como lobos correndo em direção à entrada da praça ao nosso lado. Se as criaturas saírem da praça, elas estarão soltas por Florentia e mais pessoas poderiam se machucar.

*Eu preciso parar a Rainha Noturna antes que seja tarde demais, eu preciso distrair as criaturas e impedir que elas saiam da praça.*

O calor do Onyx ao meu lado me faz perceber uma coisa: ele é como eles. Ele seria a distração perfeita.

— Onyx — digo para ele na esperança de ele me entender — preciso de você, por favor...

E no próximo segundo ele está me levantando no ar e me fazendo montar nas suas costas. Tudo bem, não era isso que eu estava imaginando, mas acho que vai funcionar.

— Lila e Olivia, ajudem as pessoas que ainda estão aqui e procurem ajuda. Nebulosa, Poeirinha, não deixem nada acontecer com as duas.

Eu sorrio para elas com medo de que seja a última vez que elas me vejam, mas eu preciso ser corajosa.

— Onyx, vamos mostrar porque a profecia nos escolheu.

O Onyx uiva alto, o que faz todas as criaturas pararem e olharem na nossa direção com seus olhos vermelhos de fogo. Eles me ignoram completamente e olham com toda raiva para o Onyx.

— Traidor, traidor, traidor. — Todos eles falam em coro como milhares de abelhas zumbindo dentro da minha cabeça.

*TRAIDOR TRAIDOR TRAIDOR TRAIDOR TRAIDOR TRAIDOR TRAIDOR*

Isso me deixa confusa... Eles falam? Por que o Onyx não fala comigo, então? Mas antes que eu possa perguntar, o Onyx começa a correr para longe da entrada da praça, fazendo todos os outros lobos o seguirem.

— Eu estou sentindo meus lobos irritados... — A voz da Rainha Noturna sibila no ar, me arrepiando. — Quem é que está tentando dar uma de herói, vai pagar caro por isso!

Então ela continua suas melodias pelo ar, o que faz os outros lobos correrem ainda mais rápido atrás de nós, enquanto as vozes deles continuam zumbindo dentro da minha cabeça.

O que me faz notar: em todo movimento dos lobos, a Rainha Noturna canta alguma coisa. Ela os está controlando com a voz... Mas como a voz dela ecoa tão alto? Pode ser algum tipo de magia... Mas se ela gastasse magia com isso, ela não poderia focar nas outras coisas.

Até que eu me lembro: A BUGIGANGA DO SCORPIO! Só pode ser aquilo!

Eu preciso chegar mais perto do palco para ver melhor.

— Onyx, eu vou pular, continue distraindo todos para mim.

Antes de a coragem sumir, eu pulo do Onyx, o que me faz cair direto no chão e rolar em meio a poeira e pedaços de tijolos. O meu braço machucado dói ainda mais e de uma forma insuportável.

*Eu preciso ser forte.*

Vejo o Onyx correr na outra direção tirando os lobos de perto de mim, então aproveito para me levantar e correr até os fundos do palco, por um local onde a Rainha Noturna não consegue me ver.

À medida que eu vou me aproximando, começo a ouvir:

— Se isso era só entre nós duas, por que você envolveu o Pietro? — Rainha Noturna diz cheia de ódio. Pelas histórias eu me lembro de que Pietro era o irmão dela que Edwina também abandonou nas flores venenosas.

Então era por isso que os lobos estavam dispersos, a Rainha Noturna não os estava controlando porque estava distraída conversando com a mãe.

Quando olho para o meu lado eu tomo um susto, porque adivinha quem também estava ali ouvindo a história? A Poeirinha, que não aguenta ficar longe do agito, veio ouvir a fofoca de perto... Eu mereço.

Ela pula no meu colo e aproveito para subir a escadinha do fundo do palco.

— Eu precisei — Edwina responde sobre o Pietro —, de qualquer forma a visão terminaria em destruição... Se ele ficasse, ele te vingaria.

— O seu azar é que a vingança ficou em minhas mãos —

Rainha Noturna diz enquanto faz a magia apertar ainda mais as cordas ao redor de Edwina.

Ao olhar para ela, eu noto que a Edwina está fraca e mal consegue levantar a cabeça. As flores venenosas na coroa da Rainha Noturna, apesar de poucas, já estão fazendo efeito na Edwina, e se ela ficar muito tempo por perto, pode ser fatal.

— Pandora... Se vingue de mim, mas não faça isso com Florentia...

— Sempre o *reino* em primeiro lugar. — A Rainha Noturna ri.

Ao som da risada dela, eu consigo ver no palco, a máquina do Scorpio. Com certeza é ela que a Rainha Noturna está usando para ampliar sua voz e controlar todo mundo.

Preciso dar um jeito de destruí-la. Mas como eu posso fazer isso? Não tenho magia, poção, nem nada que poderia me ajudar nisso.

Até que uma luz vem na minha mente.

Eu não tenho poderes, mas tenho um *suco*! Ok, a profecia deveria ter falado sobre suco, porque definitivamente sucos têm salvado a noite.

Dentro da minha bolsa, encontro as duas garrafinhas do suco de Pudim de Amora e olho para elas. Esse suco é a única chance de estragar a máquina do Scorpio, o problema é: como fazer o suco chegar até ela?

Não posso chegar perto, porque a Pandora está com flores venenosas na coroa e isso poderia me envenenar. E se eu arremessasse?

Eu, então, pego uma das garrafas e arremesso o suco o mais forte que eu consigo, torcendo para que a minha mira seja boa pelo menos uma vez na vida. A garrafa gira no ar e... se espatifa com força, bem longe da máquina.

Tão longe que a Rainha Noturna nem percebe. Minha mira é horrível e eu só tenho mais um suco...

— Florentia — a Rainha Noturna volta a fazer a sua voz ecoar pelo ar —, como hoje é a noite da verdade, eu queria dizer que não sou a única mentira que contam para vocês... *Tudo* é uma mentira!

Ih, essa história é interessante, ainda bem que já passei por esse choque. Porque, nesse momento, a Rainha Noturna conta para toda Florentia a história dos dragões-estrelas-nebulosas e que, na verdade, todos nós estamos dentro de uma maldição.

Porém apesar de eu já conhecer essa história, graças ao livro do pai da Lila, ouvi-la nesse momento me faz ter uma ideia!

— Poeirinha, vai chamar a Nebulosa.

A Poeirinha concorda e fica invisível para correr em meio aos lobos sem ser vista. Se tem alguém que pode me ajudar nesse momento é a Nebulosa. Obrigada, Pandora, por ter contado essa história.

Não demora para a Nebulosa chegar, aponto para ela as flores na coroa da Rainha Noturna e ela entende exatamente o que fazer.

A Nebulosa voa na direção da Rainha Noturna e a pega de surpresa, enquanto tira as flores venenosas da coroa dela e as come tão rápido quanto eu comeria um doce. Enquanto a Rainha Noturna tenta espantar a Nebulosa, essa é a deixa perfeita para eu me aproximar da máquina do Scorpio e a destruir de vez.

Ali eu pego a última garrafa de suco de pudim de amora e olho para ela. Se você soubesse o quanto o suco de pudim de amora é bom, você saberia o quanto esse momento está sendo doloroso.

Mas Florentia precisa de mim, desculpa, suco perfeito.

Então eu abro a garrafinha e jogo todo o suco por cima da máquina do Scorpio. A máquina começa a soltar algumas faíscas e assim que eu corro para longe, ela explode, chamando a atenção da Rainha Noturna.

— Não! — A voz da Rainha Noturna não ecoa mais por Florentia, mas o grito dela de raiva é alto o suficiente para eu ouvir. — Ataquem a cidade até não sobrar mais nada!

Tudo bem... Não era isso que eu esperava.

Saio dos fundos do palco correndo, na esperança de que o Onyx saiba ler minha mente e saiba que eu mais do que nunca preciso fugir daqui.

Felizmente ele vem correndo e eu subo nele novamente, enquanto ao fundo eu vejo os outros cinco lobos correndo ferozes em direção a entrada da cidade.

E, nesse momento, sinto que chegou a hora.

O Onyx corre atrás dos lobos, como se eu e ele estivéssemos conectados. Enquanto ele corre, eu só sinto tudo como se fosse um filme em câmera lenta: sinto as gotas da água que saem do chafariz gelando a minha pele, o vento assobiando ao meu redor e o cheiro de fumaça por todos os cantos.

Eu sinto tudo intensamente, porque sei que é agora que tudo isso acaba.

Quando eu olho para a entrada da praça, sou surpreendida. Ali estão centenas de pessoas segurando armas, cajados e varinhas, prontos para proteger Florentia.

Olivia e Lila conseguiram ajuda.

Porém os lobos estão indo até eles em toda velocidade, prontos para passar por cima de todos e eu não posso deixar isso acontecer.

— Vai, Onyx! — E, assim, ele dá um enorme pulo por cima dos cinco lobos e para na frente das pessoas.

Os cinco lobos nos encaram com toda força com os olhos em chamas.

— Eu não vou deixar vocês passarem! — grito o mais alto e

forte que eu consigo, apesar de estar morrendo de medo.

E nesse momento a risada dos lobos ecoa dentro da minha cabeça, fazendo-a sacudir.

— Quem ela acha que é? Só recebemos ordem da realeza — ouço no meio das risadas. — Da realeza, realeza, realeza...

REALEZA REALEZA REALEZA REALEZA

O barulho é tão insuportável quanto antes, como se uma abelha estivesse dentro do meu ouvido e eu não conseguisse tirar. Eu não consigo pensar direito. Eu-eu sou da realeza, mas essas pessoas atrás de mim... Se eu falar elas vão saber. Toda Florentia vai saber.

A maldição, a profecia, todos vão saber.

Os lobos talvez só podem ser controlados mesmo pela realeza... A Rainha Noturna é filha da Rainha Edwina e pode controlá-los, eu sou filha da Rainha Stena e posso controlar o Onyx.

Eu posso controlar os lobos também.

*Eu preciso fazer isso.*

Olho para trás e vejo a Lila abraçando a Olivia. Sorrio para a Lila, me despedindo, ela entende, e os olhos dela se enchem de lágrimas. Depois, olho para a Olivia. Ela balança a cabeça com um não, pedindo que eu não faça isso, e engulo em seco, porque isso parte meu coração.

Volto a olhar para os lobos e do palco vejo a Rainha Noturna vindo até a nossa direção. Eu preciso fazer isso, antes que ela chegue até eles e volte a controlá-los.

— Eu sou... — A minha voz falha. Eu respiro fundo. *Eu consigo.*

## — EU SOU A PRINCESA AMORA DE FLORENTIA E ORDENO QUE VOCÊS OBEDEÇAM A MIM AGORA!

Os lobos, como em uma magia, param de rosnar para mim e se abaixam como se estivessem me fazendo uma referência. Atrás de mim, ouço as pessoas em choque, sussurrando sem parar "ela é a princesa Amora".

Agora todos sabem o meu segredo, e eu só queria que isso acabasse aqui, mas não vai, porque eu vejo. o feixe de luz esverdeada vindo na minha direção. Quando eu olho a origem, eu percebo que ele vem da Rainha Noturna que está alguns metros à minha frente.

O feixe voa pelo ar e vem direto para o meu peito.

E dói.

Encaro os olhos da Rainha Noturna do outro lado e ela me encara de volta. A maldição estava se cumprindo, a profecia também. Toda destruição que ela tirou de mim no primeiro dia, estava voltando.

— *Amora*, você não deveria ter feit... — A última coisa que eu ouço é a voz da Rainha Noturna na minha cabeça, mas não consigo ouvir o final da frase.

Porque no próximo segundo tudo que eu vejo é uma grande luz.

E, por fim, a escuridão.

— Ela ficará bem, com tudo isso?

É a voz da minha mãe. Eu quero responder, quero abrir meus olhos, mas não consigo. Tudo dói e eu não consigo me lembrar de nada, não consigo pensar em nada...

— O futuro reserva a ela coisas grandiosas, eu posso sentir, assim como o seu reservava quando te conheci, Stena... Entretanto, destinos grandiosos atraem perdas grandiosas e as perdas no caminho serão mais perigosas do que o poder que ela carrega. O futuro, como sempre, é incerto...

— Se me permite perguntar, Edwina, se o futuro é incerto, porque não deu uma chance para Pandora? Quando ela me capturou mais cedo, ela me contou a verdade.

— Pandora e Pietro já nasceram com o destino selado, Florentia é minha prioridade, e eu não poderia deixar de cuidar de todos por eles.

— Isso talvez faça você questionar sua escolha em mim, mas eu jamais abandonaria Amora e Olivia. Em *nenhuma* situação.

O silêncio é intenso, e eu quase posso ouvir o pensamento das duas.

— Não se preocupe, garanti que você não precisasse disso — Edwina fala por fim, num tom estranho quase que sorrindo.

Nesse momento, eu sinto alguém tocando a minha mão e tirando o meu anel do meu dedo.

— Afinal, meu presente de aniversário foi útil — Edwina diz, e eu percebo que é ela quem está perto de mim. — Quando ela estava doente e te contei a primeira profecia, eu soube que um dia ela salvaria a minha vida e nosso reino. Desde então eu tenho desenvolvido esse anel para suportar o poder quando retornasse...

— Foi você quem fez Pandora aparecer naquele dia para tirar o poder dela, não foi?

— *A grande mentira contra a grande verdade* — Edwina relembra o final da profecia. — Pandora era a única que poderia salvá-la naquele momento, um dia você entenderá tudo isso, Stena. Agora, temos muito trabalho a fazer, organizar e recuperar. O meu quarto ainda está como antes?

Silêncio.

— Claro... As portas do castelo sempre estarão abertas para você. — Minha mãe diz, mas algo a incomoda.

— E, Stena, é estritamente importante que Amora não saiba do que conversamos, nem se lembre das histórias que Pandora contou... Já apaguei a memória de toda Florentia e agora a dela também será...

Então eu sinto a Edwina colocando a mão no centro da minha testa e, depois, tudo se desfaz e voa para longe.

## SÁBADO, 24 DE DEZEMBRO

Querido Diário,

Finalmente eu te encontrei de novo. Não sei se você sabe, mas você ficou sumido por bastante tempo, então tenho muitas coisas para te contar.

E não, não estou escrevendo isso do céu-das-pessoas-incríveis. Pois é, eu não morri. Por pouco, na verdade.

A história é a seguinte: naquela hora em que a bizarra luz verde atingiu o meu peito, era mesmo toda destruição voltando para mim, o que era tão forte que acabou gerando uma imensa explosão de poder.

Que foi mais ou menos assim:

POOOOW

DESENHEI COM A CAPA PARA FICAR MAIS DRAMÁTICO

Eu não teria resistido se não fosse... o *inútil* anel canalizador de magia que eu ganhei de aniversário. Lembra dele? Eu só estava usando porque era bonito e no fim até que ele foi útil mesmo.

**OLHA O ESTADO QUE ELE FICOU** ✗ **O ESTADO QUE EU FICARIA SEM ELE**

Mas agora que vem o momento *"não acredito"*, então rufem os tambores, pois... Quem me deu esse presente foi a Grã-Rainha Edwina! O que me fez finalmente entender o que era aquele "G.R.E." no cartão junto ao anel e isso me deixou muito chocada!

Acho que você já percebeu que ela é boa nesse negócio de ver o futuro, então ela sabia que esse anel ia salvar a minha vida.

Então, toda explosão aconteceu, eu desmaiei e só fui acordar na enfermaria do castelo toda machucada, com o braço direito quebrado, vários ralados e com a minha mãe e a Olivia sentadas na minha cama chorando e a Poeirinha me cutucando sem parar.

Assim que meus olhos abriram, minha mãe começou a me pedir desculpas por nunca ter contado a história para mim... Ela tinha tanto medo de um dia tudo realmente acontecer que ela só queria esquecer tudo aquilo.

Eu disse que estava tudo bem, *MAS*... Só se ela fizesse uma torta de maçã-alada caramelizada para mim. Então acabou tudo bem.

Ou pelo menos quase, porque a minha cantora favorita é uma SUPERVILÃ! Essa é com certeza a prova que faltava para decidir que eu não tenho mesmo sorte...

Eu sinto que não deveria saber disso, mas no fundo eu sei que a Rainha Noturna é filha da Edwina e que a grã-rainha mentiu esse tempo todo falando que não tinha herdeiros. Porém, toda hora que eu penso nisso, tenho a sensação que eu não deveria saber de nada... Estranho.

E bom, onde é que a minha mãe estava naquela noite? Bom, ela me explicou que a Rainha Noturna antes de buscar os ovos nas masmorras, deu um jeito de colocar todas as guerreiras para dormir.

Já nas masmorras, ela e minha mãe travaram uma batalha. Porém, a Rainha Noturna estava tão forte com todos os poderes que ela tinha roubado ao longo dos anos, que conseguiu prender a minha mãe numa enorme teia de aranha superpoderosa.

Depois de muito lutar contra a teia, ela conseguiu sair, bem no exato momento em que eu explodi tudo. Minha mãe até tentou ir atrás da Rainha Noturna, mas ela simplesmente sumiu. Então ninguém sabe onde ou como ela está.

Só sei que se eu tivesse um novo conto de fadas seria mais ou menos assim:

## ERA UMA VEZ UMA PRINCESA QUE SE SALVOU SOZINHA E EXPLODIU SEU REINO NO CAMINHO, FIM.

E aí depois de toda explosão, Diário, eu não te encontrei mais... Mas acho que eu só não procurei direito, porque você apareceu no meu guarda-roupa, exatamente onde eu tinha te deixado no meu esconderijo secreto (estranho de novo).

E me esqueci de uma coisinha, Diário... Lembra que eu disse que eu acordei toda machucada, ralada, doendo e com o braço quebrado? Pois bem, eu também acordei com mais uma coisinha...

Pois é, eu também não entendi "foi é nada".

Mas a minha mãe me explicou que tudo que a Rainha Noturna roubou de mim voltou, incluindo o misterioso poder que ela viu dentro de mim quando ela me conheceu...

E que ele era a verdadeira destruição da profecia.

Nesse momento eu fiquei: *quê? Como assim?* Como ela disse que não mentiria mais para mim, ela me contou que o meu poder não se encaixa em nada do que as fadas, as bruxas, as sereias, ou qualquer outra pessoa mágica tenha visto.

E que quando eu era criança, não estava doente. Era a minha *própria magia* que estava me deixando daquele jeito.

OU SEJA, nem ganhando poderes eu tenho um segundo de sossego.

Agora você deve estar se perguntando: Amora, agora que todo mundo sabe que você é a princesa, será que finalmente você vai ser popular na escola?

E, primeiro, não vai ter mais escola por um bom tempo, porque eu a destruí com a minha explosão (juro que foi sem querer) e também destruí todo o reino junto (logo falamos sobre isso).

Segundo, ninguém mais sabe que eu sou a princesa, também por causa da minha explosão. *Eu disse*, é muita coisa para contar!

Porque no momento que o meu curioso, misterioso, perigoso e destrutivo poder explodiu por todo o reino, todo mundo esqueceu o que aconteceu nas últimas horas, então todos se esqueceram da minha revelação bombástica.

O que a minha mãe e a Grã-Rainha Edwina pediram para mantermos assim, até descobrirmos mais sobre os meus poderes.

Já sobre a Grã-Rainha Edwina, eu tenho novidades: ela vai morar com a gente aqui no castelo. Não espere pulinhos de alegria por minha parte, porque eu não gostei nada disso. Sim, eu sei que ela salvou a minha vida, mas eu não consigo gostar dela. Primeiro: ela abandonou os filhos no campo de flores venenosas. Segundo: ela mal chegou e já quer mandar em tudo. Terceiro: por causa das visões, ela sempre fica com aquela cara de "eu seeeei de tudo" e isso é muito irritante!

Ah, e outra novidade: todo mundo que não tinha poderes em Florentia passou a ter!!!! (Insira aqui mais e mais exclamações.)

De alguma forma, o que aconteceu entre mim e a Rainha Noturna fez com que o poder adormecido dentro das pessoas despertasse também... E, no fundo, elas sempre foram mágicas e fantásticas.

Como por exemplo a Senhora Dulce, que agora tem poderes culinários, e ela tem conseguido criar sobremesas só pensando na receita delas – o que ela já fazia, só que agora é mais rápido.

Já a Lila, que veio me visitar na enfermaria com o Onyx, disse que agora tem o poder da natureza e dos animais mágicos, então ela consegue fazer plantas crescerem e até falar com todas criaturas. Você tinha que ver, ela estava toda saltitante e feliz e soltando florzinhas pelo ar. E no fundo ela também já tinha esse poder.

Inclusive nossa teoria é que foi com esse poder que ela conseguiu transformar o Onyx em um ser bonzinho, o que salvou todo mundo. Então a Lila também foi a grande heroína disso tudo.

ONYX EM FORMA DE UNICÓRNIO

**CADA DIA ELE TÁ DIFERENTE E A LILA AMA**

E, claro, ela não pode deixar de dizer quando me viu:

— Viu, por isso que eu nunca gostei da Rainha Noturna.

Mas, no fim, todo mundo em Florentia despertou um poder que no fundo já tinha. Igual eu que agora tenho formalmente o poder das derrotas (com uma grande pitada de destruição e perigo junto).

É o que dizem, né, rir pra não chorar.

E tudo bem, tenho que falar sobre o Scorpio para te contar a história completa. Então segura mais uma derrota: ele é bem poderoso e não tem apenas um poder só, além de aparentemente já ter conseguido controlar todos eles, e bem rápido.

A Lila o viu na praça soltando cristais de gelo pela mão e no próximo segundo ele estava espalhando chamas pelo ar. Eu não quero nem ver como vai ser a volta às aulas.

Só sei que agora, com todo mundo em Florentia tendo magia, a minha mãe e a Edwina terão muito o que fazer – além do problema de reconstruir todo o reino que eu explodi. Elas também terão que lidar com esses novos poderes que surgiram, abrir novas escolas e ajudar todas essas pessoas.

Pelo que eu ouvi na enfermaria, a ideia é transformar a Escola Preparatória para Pessoas Não Mágicas em uma Escola Preparatória para Matérias Não Mágicas, onde as crianças vão aprender chatices como matemática antes de aprender a soltar poderes.

O que eu achei uma péssima ideia.

Já a parte da escola para magias, ainda estão pensando, no entanto, espero que seja mais divertido do que estudar matemática.

E agora, Diário, eu preciso ir! A Lila e o pai dela acabaram de chegar no castelo. A minha mãe contou sobre mim pro Doutor Epimênides e eles têm estudado juntos sobre a origem dos meus poderes. Então, ela os convidou para passar o Natal com a gente e segredo: eu vou dar para a Lila um baú de poções aladas para ela se divertir muito com os dragões-libélulas nas férias.

Até mais,

**Princesa Amora**

P.S.: A CHATA DA GRÃ-RAINHA EDWINA
NÃO QUIS PARTICIPAR

## AGRADECIMENTOS DA AMORA

É, MUITO OBRIGADA POR LER O MEU DIÁRIO... SE EU DESCOBRIR ONDE VOCÊ MORA EU VOU TE TRANSFORMAR EM UM SAPO!!!

EU TENHO MAGIA AGORA

VOCÊ

# AGRADECIMENTOS DA AUTORA

Sei que este livro é da Amora, mas como ela não tem educação vou ter que agradecer por ela!

Brincadeiras à parte, mas este livro estar nas suas mãos neste momento é a realização de um sonho que Maidynha criança jamais pensou em conseguir realizar. Muito dela está presente na Amora e, sim, muitas dessas coisas aconteceram mesmo comigo **(não digo nada além disso...)**

Esse sonho só foi possível graças a ajuda de pessoas incríveis, começando pelo meu editor **Felipe Brandão** que apoiou todas minhas ideias (e não foram poucas). Obrigada por acreditar em mim e me apoiar, Fê! (E obrigada Gabi Violeta por ter nos apresentado!)

Agradecimentos especiais a **Igor Ludgero**, que foi a primeira pessoa que leu o primeiro rascunho deste Diário, leu meus primeiros livros e sempre me apoiou demais, obrigada por me ajudar tanto e com tudo!

**Natalia Avila**, que me ajudou em vários bloqueios criativos; **Renata** (Reyume Art) que deu vida a todo este universo encantado com suas ilustrações, não tenho nem palavras para agradecer.

Aos meus pais, **Aparecida** e **Nilson**, por desde pequenininha acreditarem nos meus sonhos. E à minha irmã, **Isabella**, que sempre me inspira com sua coragem e é 100% a Olivia!

E, por fim, mas não menos importante, a todas **Conchinhas**! Obrigada por apoiarem tanto meu trabalho nesses anos na internet, vocês são incríveis e este livro também é graças a vocês.

E a Amora? Bom, agora ela tem muito o que fazer no reino, espero que ela não se meta em mais confusões... **(mentira, espero sim)**

até mais,
*Maidy*

**Acreditamos
nos livros**

Este livro foi composto em Raleway
e impresso pela Gráfica Santa Marta para a
Editora Planeta do Brasil em outubro de 2025.